Les merveilleuses façons d'Aimer son enfant

Judy Ford

Les merveilleuses façons d'Aimer son enfant

Judy Ford

Publié aux États-Unis par Conari Press sous le titre *Wonderful Ways to Love a Child*

Les Publications Modus Vivendi inc.
3859, autoroute des Laurentides
Laval (Québec)
Canada
H7L 3H7

Traduit de l'americain par : Johanne Forget

Dépôt légal, 1er trimestre 2002
Bibliothèque nationale du Québec
Bibliothèque nationale du Canada
Bibliothèque nationale de Paris

ISBN : 2-89523-102-8

Canada Nous reconnaissons l'aide financière du gouvernement du Canada par l'entremise du Programme d'Aide au Développement de l'Industrie de l'Édition (PADIÉ) pour nos activités d'édition.

Gouvernement du Québec — Programme de crédit d'impôt pour l'édition de livres — Gestion SODEC

Pour Amanda Leigh,
qui m'a si gracieusement permis
de partager notre histoire.

Remerciements

Je désire exprimer ma reconnaissance à Mary Jane Ryan, éditeur extraordinaire, pour ses multiples encouragements, qui m'ont aidée à trouver le moyen de partager ce que je sais.

Je remercie William Ashoka Ross, qui a affectueusement enregistré les contes de notre famille et dont la douce présence demeure dans mon coeur.

Finalement, les derniers mais non les moindres, je remercie tous les enfants et les parents dont la lumière brille dans ces pages.

Table des matières

L'esprit

Être parent et exprimer son amour par ses actions

Il ne suffit pas d'éprouver de l'amour pour votre enfant, vous devez être capable d'exprimer votre amour par vos actions.

Introduction

imer son enfant, c'est simple et déconcertant; il ne faut pas seulement le ressentir, il faut le montrer! Ressentir de l'amour pour votre enfant dans votre coeur ne suffit pas — pour aimer votre bébé, votre petit enfant, votre adolescent dans toutes les phases de son développement, il faut que vous exprimiez votre amour par vos actions; et, comme vous le savez sans doute déjà, c'est un engagement à vie qui demande de l'énergie, beaucoup de travail et qui vous impose de vous élever au-dessus de vos propres notions préconçues. Vous devrez répondre aux exigences de la plus haute vocation. Vous devrez toujours être attentif à ce que vous dites et à ce que vous faites, parce que vous êtes la personne la plus importante dans la vie de votre enfant, parce que vous savez dans votre coeur que la façon dont vous traitez votre enfant à chaque moment a une grande importance.

Vous devez accomplir vos actions d'amour dès le premier instant où vous mettez votre bébé au monde, et ensuite pour toujours. Madeleine et David se lèvent chacun leur tour la nuit, font chacun leur tour le lavage, les repas et ils changent tous deux les couches. Depuis seulement un mois que bébé est à la maison, leur vie a changé considérablement — fini les grasses matinées, les douches prolongées, les brunches de gourmet et les sorties improvisées. Toutefois, en mettant de côté leurs propres désirs et besoins pour prendre soin de leur nouveau-né, Madeleine et David découvrent que c'est par leurs actions d'amour que leur vie s'enrichit.

Ils apprennent rapidement ce que beaucoup de parents ont appris avant eux: qu'on ne peut être égoïste, égocentrique ou paresseux si l'on veut prendre soin de son enfant avec amour. En élevant votre enfant, par exemple, vous êtes parfois appelé à participer à des événements mondains, dont certains ne sont pas toujours drôles; mais quand vous le faites tout de même, parce que votre enfant en a besoin, vous accomplissez une action d'amour, et les liens entre vous se resserrent davantage. Madeleine et David apprennent, comme vous le ferez vous-même, que le fait d'être parent exige beaucoup d'ajustements et d'actions d'amour, même quand vous vous sentez trop fatigué pour éprouver quoi que ce soit.

En tant que parent, conseillère familiale et conseillère en relations humaines depuis plus de vingt ans, j'ai rencontré des centaines de parents qui affirmaient aimer leur enfant; bien que j'étais certaine qu'ils éprouvaient effectivement de l'amour, je ne pouvais pas en juger par leurs actions. Sans le savoir et sans le vouloir, ils critiquaient et minaient l'esprit de leur enfant; c'était comme s'ils ne faisaient pas attention à ce qu'ils faisaient. Ce n'était pas de mauvaises personnes, ils n'avaient tout simplement pas appris à intégrer l'amour dans leurs actions quotidiennes, ils ne s'étaient pas mis à la place de leurs enfants.

Dans les cours que je donne aux parents, ceux-ci me demandent continuellement comment faire pour créer des familles fortes et stimulantes. Ils veulent savoir comment élever des enfants qui ont une haute estime d'eux-mêmes, comment rire, se détendre et avoir du plaisir en le faisant. Je rencontre des centaines de parents et d'enfants qui veulent désespérément s'aimer les uns les autres et avoir du plaisir ensemble; et bien qu'il existe des milliers de livres sur l'art d'être parent, qui contiennent une myriade de trucs et de techniques, les parents auxquels je parle veulent quelque chose de différent.

Nous sommes souvent si occupés, fatigués et accablés par nos tentatives d'être des superparents, que tout ce dont nous avons besoin à l'occasion c'est de nous faire gentiment rappeler comment exprimer notre amour à nos enfants, quelles actions d'amour nous devons accomplir.

Le présent ouvrage est un guide à l'intention de tous les parents qui veulent mettre leur amour en action, pour donner à leurs enfants le meilleur départ dans la vie. Il contient des suggestions destinées à solidifier votre famille, il vous donne des indications et vous rassure sur ce que je sais qui est possible. Utilisez-le quotidiennement pour y puiser du réconfort et du soutien, et il vous aidera à devenir le type de parent que vous souhaitez être. Vous y trouverez plusieurs histoires vraies de parents et d'enfants qui construisent des familles fortes, stimulantes et débordantes d'amour. Leurs histoires peuvent vous montrer la voie. Rappelez-vous que ces suggestions ne sont pas de simples trucs; elles doivent être utilisées avec intégrité, compassion, et toute l'honnêteté émotive dont vous pouvez faire preuve. Si elles ne font pas vraiment partie de vous, elles ne fonctionneront pas.

En tant que parent et en tant que conseillère auprès de centaines d'autres, j'ai pu constater que le plus important dans la fonction de parent est la qualité de la relation qui existe entre vous et vos enfants - pas ce qu'ils portent, leur façon de se coiffer, le fait qu'ils finissent à la première, deuxième ou troisième place, mais plutôt comment vous vous sentez ensemble. Quand ils seront devenus adultes et qu'ils auront eux-mêmes des enfants, aucun d'entre vous ne se souviendra de leurs notes, mais vous vous rappellerez tous de la qualité de votre relation. Mon souhait est que le présent livre vous donne quelques idées pour bâtir avec vos enfants une amitié affectueuse et durable, qui les aidera à s'épanouir en tant qu'individus, et qui les incitera à vous rendre visite avec plaisir quand ils seront adultes.

En tant que parent d'une adolescente, je sais combien il est important de se faire rappeler la relation d'amour qui peut exister entre parent et enfant, de même que le plaisir et l'enthousiasme que nous pouvons partager dans nos foyers. Je propose ce livre comme une invitation à continuer de grandir dans un sens positif et enrichissant. Notre pédiatre demanda un jour à Manda, ma fille, alors âgée de quatre ans: «Qu'est-ce que tu veux devenir quand tu seras grande?»

«Une personne», a-t-elle répondu.

C'est ainsi: la vocation d'un parent c'est d'élever une personne. En intégrant ces actions d'amour dans votre vie, vous aurez le pouvoir de bâtir le genre d'unité familiale que la plupart des gens désirent. Et ensemble, si nous apprenons à bien aimer nos enfants, nous pouvons sauver le monde.

L'essence

Élever des enfants, c'est une rue à double sens.
Vous les prenez par la main,
ils vous prennent par le coeur.

Aimez-vous vous-même

S'aimer soi-même est le fondement du sens et de la beauté de l'expérience humaine, et le fait d'être parent n'y fait pas exception. En termes simples, vous ne pouvez pas être un bon parent si vous ne vous aimez pas, parce que s'aimer soi-même est la base de la responsabilité individuelle et du bonheur. C'est en effet en découvrant votre valeur personnelle que vous aurez assez de courage et de confiance en vous pour être parent; en vous aimant, vous ressentirez un bien-être intérieur grâce auquel, plutôt que de rechercher une valorisation auprès de vos enfants, vous aurez votre propre identité. S'aimer soi-même est la première étape à franchir pour faire de la place dans votre vie à un petit être nouveau, parce qu'il vous est alors possible d'aimer vos enfants pour le seul plaisir de les aimer, et non pour ce qu'ils peuvent faire pour vous.

Que signifie s'aimer soi-même en tant que parent? Cela signifie prendre du temps pour vous-même chaque jour. Vous respecter. Vous dorloter de temps en temps. Cela signifie découvrir vos talents personnels et profiter de tout ce qui vous fait plaisir. Cela signifie défendre votre point de vue quand vous avez la certitude que c'est nécessaire. C'est un processus quotidien par lequel vous apprenez à vous connaître tel que vous êtes, à être indulgent envers vous-même quand vous vous découvrez des petits côtés moins agréables et, finalement, à prendre toutes les mesures d'autovalorisation utiles à votre croissance personnelle. S'aimer soi-même implique être capable d'admettre ses faiblesses, en sachant que, même si les choses n'ont pas toujours été faciles, on a fait de son mieux. Quand on s'aime et qu'on s'accepte tel qu'on est, on n'a pas peur de grandir, d'apprendre et de changer. On se sent plein de vie et on a l'énergie qu'il faut pour avoir du plaisir avec sa famille et en prendre soin convenablement. Parce que les enfants apprennent par l'exemple, les parents sont les mieux placés pour leur enseigner ce que signifie s'aimer soi-même. L'exemple qui suit l'illustre bien.

Bien que Christiane, âgée de vingt-neuf ans, se sentait coupable de retourner aux études, elle a décidé de réaliser son désir. Les enfants ont dû faire leur part. Ils mangeaient plus souvent des repas vite faits, avaient moins d'argent et ils durent apprendre plus tôt que leurs camarades à s'acquitter des tâches domestiques quotidiennes. Le jour de la remise des diplômes, les enfants, âgés de huit et neuf ans, sont montés sur la scène avec leur mère en la tenant par la main. Quand elle a reçu son diplôme, les enfants lui ont remis une carte qu'ils avaient confectionnée eux-mêmes et qui disait: «Nous sommes fiers de toi. Nous avons réussi.» Imaginez les leçons importantes et positives que Christiane a données à ses enfants en s'aimant assez pour suivre la voie que son coeur lui traçait: ils ont appris que la réussite est possible, qu'elle résulte du travail d'équipe, et qu'on peut éprouver du bonheur à se serrer les coudes.

S'il vous arrive d'éprouver du ressentiment à l'égard de vos enfants, de dire ou de penser: «Après tout ce que j'ai fait pour eux...», c'est le moment de commencer à penser à vous. Parce que si vous n'êtes pas honnête envers vous-même, plutôt que d'aimer vos enfants, vous éprouverez bientôt du ressentiment à leur endroit, et ce mur de ressentiment est difficile à abattre. Quand vous n'êtes pas honnête envers vous-même, vous vous sentez en déséquilibre et vous perdez le contrôle de votre journée; vous vous fâchez plus vite et vous criez plus souvent. Mais quand vous prenez soin de vous-même, vos enfants se sentent bien dans leur peau.

Laissez-les s'aimer

Un petit être qui s'aime deviendra en grandissant un adulte responsable, capable de vivre pleinement sa vie. Une haute estime de soi est le meilleur fondement de l'avenir de votre enfant. Les experts dans le développement des enfants nous disent que, quand les enfants ont une haute estime d'eux-mêmes, ils sont capables d'apprendre et fonctionnent mieux à l'école; ils ont des amis, établissent des liens avec les autres et se sentent à leur place. Ils ont des aptitudes, peuvent prendre des décisions importantes et veulent expérimenter. Ils sont optimistes, curieux, et ils aiment la vie. S'aimer soi-même permet de développer une personnalité vraie qui ne se laissera pas perturber par la pression, par exemple, ou par les innombrables influences extérieures auxquelles l'enfant doit inévitablement faire face.

Aider vos enfants à s'accepter tels qu'ils sont, c'est ni plus ni moins faire un acte d'amour inconditionnel. Alors avant tout, ne basez pas votre amour sur ce qu'ils font, mais tout simplement sur le fait qu'ils existent. Quand Jérôme a demandé à son père: «Qu'est-ce qui te plaît en moi?», celui-ci a répondu: «Toi!»

«Quoi en moi?», a demandé Jérôme.

«Ce qui me plaît en toi, Jérôme, c'est que tu es toi. Je t'aime.»

Un jour j'ai demandé à ma fille, Manda, qui revenait de l'école alors qu'elle était en première année: «Qu'est-ce que tu as fait à l'école aujourd'hui?»

«Je ne peux pas te le dire», m'a-t-elle répondu.

«Pourquoi pas?»

«Parce que tu vas te mettre en colère.»

Évidemment, j'ai redoublé de curiosité. Alors j'ai réfléchi pendant un moment, et puis je lui ai dit: «Manda, si tu décides de me dire ce que tu as fait à l'école aujourd'hui, je te promets que, si je me mets en colère, je vais m'en aller dans ma chambre.»

«C'est promis?»

«Promis», ai-je répondu.

«Eh bien aujourd'hui nous devions écrire le nom de notre meilleur ami... Je n'ai pas écrit ton nom, maman.»

«Ah bon?»

«J'ai écrit mon nom à moi. Je n'y peux rien, c'est moi que j'aime le mieux. Mais j'ai écrit ton nom en deuxième.»

J'étais aux anges; je me suis dit, félicitations, tu ne l'as pas encore gâchée. J'étais contente qu'elle s'aime d'abord, et qu'elle reconnaisse sa propre valeur, parce que je savais qu'avec ce sentiment intime de valeur personnelle elle aimerait l'école, ses amis, sa vie et qu'elle serait heureuse.

Quand un petit être se découvre grâce au miracle de l'acceptation de soi, sa vie devient un voyage d'accomplissement personnel; tout à coup, il est assez fort pour faire face bravement aux défis, aux hauts et aux bas que la vie lui réserve. Par-dessus le marché, en apprenant à éprouver de la compassion pour lui-même, il ne peut faire autrement que d'aimer les autres.

Apprenez l'art d'être parent

i vous avez déjà bercé un bébé dans le silence de la nuit, pour vous lever ensuite à l'aube épuisé par le manque de sommeil, vous savez à quel point il peut être difficile d'être parent, et vous connaissez aussi les joies que votre enfant peut apporter. Si vous avez déjà pris votre bébé dans vos bras et que ce petit bébé qui sent si bon a régurgité sur votre chemise fraîchement lavée, vous savez que vous pouvez éprouver une grande frustration en même temps qu'un grand flot d'amour submerge votre coeur. Si vous vous êtes déjà senti exaspéré de dépenser votre argent si durement gagné en leçons de piano, de tennis, de natation, de ballet ou de gymnastique, qui semblent prises pour acquises, et que vous avez constaté avec fierté le sentiment d'accomplissement éprouvé par votre enfant, vous connaissez les étapes difficiles que comporte votre voyage, et les récompenses qu'il peut vous apporter.

Vous vous sentez parfois si contrarié que vous avez envie de crier, vous enragez à la pensée de tout ce que vous avez fait pour eux; puis ils vous apportent un bouquet de pissenlits et vous sentez votre coeur fondre. En grandissant, ils semblent vous défier à tous les tournants; ils n'acceptent plus vos conseils sans poser de questions, mais semblent discuter chaque mot que vous prononcez; puis au moment où vous commencez à croire que vous en perdrez la raison, sans crier gare ils font une observation, voient les choses sous un nouvel angle ou les retournent complètement, et vous vous émerveillez de l'intelligence de leur point de vue.

Jamais personne n'a dit qu'il était facile d'être parent. Être parent signifie donner sans compter quand vous êtes épuisé. Cela signifie acheter de nouvelles chaussures à vos enfants quand vous-même n'en avez pas. Cela signifie se conformer à l'horaire d'un autre. Cela signifie se coucher tard et ne pas pouvoir faire la grasse matinée. Cela signifie tout partager — votre argent, votre nourriture, votre maquillage, vos bas. Cela signifie s'occuper du bien-être d'un autre. Quand vos enfants sont des bébés, vous avez l'impression de devoir transporter toute la maison juste pour aller à l'épicerie; et quand ils sont plus grands, vous les conduisez au cinéma, mais ils ne veulent pas s'asseoir à côté de vous. Certains jours ils restent constamment à vos côtés, et d'autres jours, sans que vous sachiez pourquoi, vous les embarrassez et ils refusent d'être vus avec vous en public. Vous faites tout ce que vous pouvez pour être un bon parent, mais vous luttez sans arrêt pour ne pas douter de vous-même.

Bien qu'être parent soit probablement la profession la plus importante, c'est l'art qui est le moins enseigné dans notre culture. En tant que société, nous semblons penser que la seule capacité biologique de faire des enfants nous qualifie pour les élever correctement. Mais nous commençons lentement à reconnaître que certains cours nous seraient utiles, qu'il faudrait développer certaines aptitudes et, heureusement, certains bons cours existent en effet. Informez-vous des cours qui sont offerts dans votre région, parlez à d'autres parents, ou lisez des livres sur l'art d'être parent et sur le développement des enfants. Vous pouvez envisager de vous joindre à un groupe de soutien aux parents, ou même d'en fonder un, ou encore de prendre un cours pour vous aider à guérir et à grandir. Si vous ne vous sentez pas bien ou que vous n'êtes pas content de vous en tant que personne, vous ne pourrez pas donner à votre enfant ce que vous n'avez pas. Il vous serait peut-être bénéfique de consulter. Quel que soit le besoin que vous éprouvez, si vous cherchez, vous allez trouver le moyen de le satisfaire; si vous avez besoin d'aide, n'hésitez pas à en demander.

Manipulez avec soin

Personne ne songerait à lancer négligemment n'importe où un paquet de la poste portant une étiquette «Manipuler avec soin». Personne ne l'ignorerait, ne le considérerait comme une nuisance, ou ne sentirait qu'il dérange. Le paquet serait ouvert lentement, soigneusement, parce qu'il est fragile. On lui accorderait une attention toute particulière. Peut-être que, si nous considérions nos enfants comme de précieux petits paquets qui nous viennent directement du ciel par livraison spéciale, nous serions plus patients avec eux quand leur comportement nous dérange.

Nos enfants font bien des choses qui nous portent sur les nerfs et qui touchent nos cordes sensibles, mais se rappeler que leur coeur est fragile peut nous aider à être plus sensibles. Il est possible de détruire le moral des enfants en utilisant des mots durs à leur endroit, en les ignorant ou en les repoussant. Alors plutôt que de menacer: «Si tu n'arrêtes pas tout de suite, tu vas vraiment pleurer pour quelque chose», ou de lui poser la ridicule question «Tu veux une fessée?», arrêtez-vous un moment et demandez-vous pourquoi vous réagissez si vivement?

Il y a une grande différence entre agir et réagir, et en tant que parent, il est important d'apprendre la distinction. Cela demande de la réflexion, de la pratique, et un certain nombre de profondes respirations. Quand Thomas a brisé le vase préféré de sa mère après qu'elle lui eut demandé à plusieurs reprises de cesser de lancer une balle dans la maison, elle a cru pendant un moment qu'elle perdrait connaissance. Elle n'a pas réagi; elle a compté jusqu'à mille et a attendu de voir ce qui se passerait. Elle m'a dit qu'elle avait beaucoup appris ce jour-là; il fallait que Thomas se concentre sur sa propre inconduite, plutôt que d'avoir à faire face à une réaction hystérique de sa mère. Il a ramassé tranquillement les morceaux du vase brisé et les a apportés à sa mère, et elle a pu voir qu'il avait appris une pénible leçon. Ils ont parlé de ce qui s'était passé, et il lui a promis de ne plus jamais lancer de balle dans la maison. Et il a tenu sa promesse.

Quand vous réalisez que vous traitez votre enfant durement, ou que votre réaction est démesurée, respirez profondément, comptez jusqu'à dix ou jusqu'à dix mille, et demandez-vous: «Qu'est-ce qui m'arrive en ce moment?», ou «Pourquoi est-ce que je me sens comme ça?» Respirez, respirez, respirez, et réfléchissez avant d'agir, de façon à percevoir l'extraordinaire tendresse de votre enfant. Rien n'est plus important que de soigner leur corps et leur âme avec toute l'affection possible.

Donnez votre présence

Être présent, c'est prendre contact avec l'essence de l'autre personne. C'est rencontrer votre enfant dans le moment présent, sans penser au passé ou à l'avenir, et sans avoir l'esprit ailleurs. Cela signifie aller vers votre enfant sans attentes, sans notions préconçues, et sans penser aux mille autres choses que vous «devriez» faire, pour vous concentrer totalement sur ses besoins. Ce n'est pas toujours facile, mais c'est d'une importance vitale.

Vous rappelez-vous avoir déjà entendu l'histoire du pauvre petit garçon riche qui avait tout ce qu'il pouvait désirer sur le plan matériel, mais qui avait le coeur brisé parce que ses parents n'étaient jamais vraiment là? Malheureusement, il y a beaucoup d'enfants qui sont négligés de cette façon. Les cadeaux, peu importe leur prix, ne remplaceront jamais votre présence. Accordez-lui toute votre attention, c'est la chose la plus importante pour un enfant qui grandit, et c'est la façon la plus satisfaisante d'être avec eux.

Quand il est bébé, votre enfant nécessite votre présence constante, mais à mesure qu'il grandit, il est facile d'oublier d'y faire attention. Alors soyez vigilant et surveillez les signes indiquant qu'il peut se sentir abandonné. Quand votre enfant vous agace pendant que vous êtes au téléphone, c'est peut-être un indice qu'il a besoin de toute votre attention. Un petit garçon de six ans m'a déjà dit que les seuls moments où son père lui accordait de l'attention c'était quand il s'attirait des ennuis à l'école, et que, comme il voulait que son père s'occupe de lui, ça valait la peine. J'ai suggéré à son père, Donald, de passer une demi-heure tous les soirs avec son fils. Il n'était pas certain que cela ferait une différence, mais il a accepté d'essayer. Les ennuis à l'école ont cessé et Donald a découvert à quel point sa présence était importante pour son jeune fils.

À mesure que les enfants acquièrent plus d'indépendance, vous connaîtrez toutes leurs aventures si vous vous mettez à l'écoute sans distraction. Agnès, par exemple, organise des petits déjeuners au restaurant le samedi matin avec ses enfants de neuf et onze ans. Selon elle, une petite heure loin de la maison consacrée à l'écoute de leurs besoins maintient les voies de la communication ouvertes.

Les enfants ne communiquent pas toujours avec des mots, alors prenez conscience des moyens non verbaux que vos enfants utilisent pour vous amener à les écouter. Aline, âgée de cinq ans, a recommencé à sucer son pouce, tandis que Justin était si heureux de parler avec ses parents pendant les repas qu'il ne pouvait pas manger. David se plaignait de maux de ventre tous les matins avant d'aller à l'école et Catherine rongeait ses ongles ou roulait une mèche de cheveux entre ses doigts quand ses parents se disputaient. Un enfant qui pleure tout le temps quand on le fait garder, ou qui s'accroche et pleurniche quand il est avec d'autres adultes lance peut-être des messages indiquant que vous devriez lui accorder plus d'attention.

Libérez votre esprit, prévoyez du temps, et soyez vraiment là. Quand vous ne pouvez pas leur accorder toute votre attention, dites-le-leur, puis fixez un moment où vous le pourrez... et soyez fidèle au rendez-vous. Fermez la télévision et branchez le répondeur. Assoyez-vous ensemble, parlez, détendez-vous et laissez-vous aller, et vous sentirez que le contact sera de plus en plus fort. Si vous êtes vraiment présent quand vous êtes avec vos enfants, ils sentiront que votre amour les entoure même quand vous êtes séparé d'eux.

Écoutez avec votre coeur

Ecouter avec son coeur est complètement différent qu'écouter avec ses oreilles. Peu de gens savent comment le faire, et très peu de parents écoutent leurs enfants de cette façon. Écouter avec son coeur signifie être véritablement intéressé, ouvert et attentif. Cela signifie avoir envie d'entendre, d'apprendre, d'être surpris — sans qu'il soit nécessaire de discuter, d'interrompre ou de donner des conseils (c'est la partie la plus difficile!). Écouter avec son coeur signifie ne pas imposer son point de vue, mais découvrir ce qu'est la vie selon la perspective de votre enfant. C'est écouter avec le sens de l'émerveillement. Quand vous écoutez avec votre coeur, votre enfant sent qu'il peut tout vous dire, parce qu'un enfant qui est avec un adulte réceptif s'ouvre et partage sans condition.

Quand Jacques s'est fait prendre à sortir de l'école avant la fin de la journée, il était bouleversé et il a appelé son père, Jean, pour lui demander de venir le chercher tout de suite. Sur le chemin de l'école, Jean s'est promis de ne pas sauter aux conclusions et de laisser Jacques parler. Jacques a dit à son père qu'il ne voulait pas retourner à l'école ce jour-là, qu'il avait besoin d'un peu de temps pour réfléchir. Alors plutôt que de se fâcher, de lui faire des remontrances ou de lui donner des conseils, Jean est allé faire une promenade avec son fils et a continué à l'écouter. Jacques parlait de tout, du hockey à ses résultats scolaires en passant par l'argent.

Plus Jean écoutait, plus Jacques échangeait. Il a parlé de sa petite amie, de sexe, de l'avenir. Parce que Jean a écouté avec son coeur, ce qui aurait pu être une confrontation a donné lieu à une conversation intime entre père et fils et, finalement, Jacques a écouté le point de vue de son père.

Un enfant qui est bouleversé a besoin qu'on l'écoute avec sensibilité, et il n'est alors pas nécessaire d'échanger beaucoup de mots. Rappelez-vous qu'il suffit parfois de dire «Oh» ou «Hum»; moins vous prononcez de mots, mieux c'est. N'essayez pas de soutirer plus d'informations que ce que votre enfant veut bien vous donner. Corinne pleurait et suffoquait en disant à sa mère que Lison ne voulait pas lui prêter ses poupées. Heureusement, maman n'a pas cédé à la tentation de régler le problème. Elle a écouté, elle a indiqué qu'elle comprenait, et, comme c'est souvent le cas, en moins d'une heure Corinne avait recommencé à jouer avec Lison.

L'enfant qui pleure ne veut pas que vous lui posiez des questions ou que vous lui donniez des conseils. En fait, il veut que vous compreniez sans qu'il ait besoin d'expliquer. Quand votre enfant a fini de pleurer et qu'il s'est calmé, vous pouvez poser une question simple, comme: «Il est arrivé quelque chose?», ou «Mauvaise journée?» Poser trop de questions met l'enfant sur la défensive. Certains enfants échangent beaucoup, d'autres sont plus réservés, et vous devez apprendre à respecter leur façon d'être. Écouter avec votre coeur renforcera votre intimité avec votre enfant, et très souvent vous découvrirez que votre enfant a simplement besoin que vous l'écoutiez calmement pour trouver sa propre solution.

Parlez gentiment

Tout comme les adultes, les enfants réagissent bien à la gentillesse. Comme les mots que vous utilisez et le ton de votre voix indiquent ce que *vous* ressentez, vos enfants interpréteront vos mots et votre ton comme des messages directs à propos de leur valeur personnelle. Alors parlez-leur doucement et gentiment, et vos enfants vont écouter. Il n'est pas nécessaire de jouer les mégères pour obtenir leur attention.

Cessez de crier. Crier après ses enfants ou son conjoint met de la tension dans l'air, des mauvaises vibrations autour de la maison, et du bruit dans la tête. Ce n'est pas une bonne idée. Il ne faut pas non plus prêcher, gronder, sermonner ou pontifier. Arrêtez de toujours réciter la même litanie et de faire des reproches. Cessez toute critique, directe ou déguisée. Ne grondez pas, ne faites pas de menaces, ne criez pas, n'injuriez pas. Pour certains d'entre nous, c'est plus facile à dire qu'à faire. Nous avons grandi dans des familles où l'on criait et hurlait, où l'on blâmait, où l'on se moquait les uns des autres, alors il paraît presque naturel de le faire. Je suggère aux parents qui ont vécu dans un contexte familial de ce genre de s'arrêter avant de dire des choses désagréables et de se demander: «Si j'étais cet enfant, comment est-ce que j'aimerais qu'on me parle?»

Maryse a cru mourir d'inquiétude le jour où Joël, âgé de huit ans, est resté introuvable pendant quelque temps alors qu'il était censé jouer chez les voisins. Elle a cherché partout, appelé tout le monde, crié son nom dans tout le voisinage. Quand elle l'a vu remonter la rue deux heures plus tard, elle était en larmes. Elle était si soulagée qu'elle aurait voulu le prendre dans ses bras, le réprimander, l'embrasser, et le menacer pour qu'il ne fasse plus jamais ça. Elle lui a plutôt sagement pris la main, a marché silencieusement avec lui quelques minutes, puis elle lui a demandé: «Où étais-tu, Joël?»

«Tu n'a pas écouté mon message sur le répondeur?», a-t-il répliqué. «Le papa de Benjamin nous a amenés jouer au base-ball. Et puis on a vu un chien se faire frapper par une voiture et on l'a transporté chez le vétérinaire.»

Elle a écouté calmement Joël lui raconter l'histoire en détail, en luttant parfois contre son envie de pleurer. Elle était si heureuse d'avoir tenu sa langue, si heureuse d'avoir écouté plutôt que de parler sans arrêt comme elle le faisait parfois. Quand elle est rentrée à la maison, évidemment, elle a pu constater que, tout comme elle lui avait appris à le faire, Joël avait laissé deux messages sur le répondeur pour lui dire ce qui arrivait.

Quand vous vous sentez excédé, prenez le temps de vous laisser aller: allez faire une promenade ou appelez un ami. Libérez votre esprit d'abord, puis, quand vous êtes prêt, parlez-en. N'oubliez pas que chaque interaction peut faire immensément de mal ou de bien, blesser ou terroriser. Et au milieu du chaos, votre gentillesse pourra transformer leur journée et la vôtre.

Encouragez, encouragez

Nous avons tous besoin d'encouragement — vous en avez besoin, tout comme votre enfant. Dans un certain sens, nous sommes tous de petites personnes impuissantes qui tentent de se débrouiller de leur mieux dans un monde complexe. Personne n'a autant besoin d'encouragement que les enfants. Les pressions et les tentations sont si nombreuses qu'ils ont besoin de tout le support que nous pouvons leur donner. Qu'ils tentent quoi que ce soit, restez derrière eux. Faites-leur savoir que vous croyez qu'ils peuvent atteindre leur but en leur disant: «Je pense que tu peux réussir.» Reconnaissez leurs réalisations, même les plus petites.

Faites attention de ne pas confondre encouragement et insistance. Je rencontre trop de parents qui *découragent* de fait leur enfant en insistant sur les choses qui *les* intéressent plutôt que de le laisser réaliser ses propres désirs. Simone, par exemple, voulait que sa fille Linda excelle à la course sur piste, et elle faisait allusion à son talent tous les jours. Elle a été fort surprise un jour de voir Linda quitter l'équipe et de l'entendre dire: «Si tu aimes la course à ce point, pourquoi n'en fais-*tu* pas?» Simone a dû admettre que c'était dans son sport préféré à elle qu'elle poussait Linda à exceller au lieu de l'encourager dans ce qu'*elle* voulait.

N'essayez pas de persuader votre enfant d'avoir les mêmes rêves que vous en lui disant: «Je préférerais que tu deviennes ingénieur», plutôt que d'approuver son désir de devenir éditeur. En l'encourageant, vous incitez votre enfant à être lui-même. S'il a un rêve, dites-lui que son rêve est merveilleux - quel qu'il soit. Ne le démolissez pas et ne lui faites pas peur en lui disant: «Il n'y a pas beaucoup d'emploi pour les astronautes.» Les enfants ont leurs propres buts et leurs propres ambitions. Votre tâche est de les encourager par votre enthousiasme. Pensez à reconnaître leurs efforts et à souligner les améliorations: «Tu a beaucoup travaillé pour obtenir ces notes. Félicitations!» Dans certaines familles, c'est l'enfant qui fait toujours des bêtises qui obtient toute l'attention, alors n'oubliez pas d'adresser des louanges à l'enfant qui réussit bien en silence.

Suzanne dit souvent à ses enfants: «J'ai confiance que vous savez ce qui est bon pour vous.» Ces mots encourageants sont une musique pour les oreilles et véhiculent le message suivant: c'est bien de découvrir qui vous êtes et de trouver votre voie. Si vous leur répétez des mots d'espoir de ce genre, même quand ils connaîtront des échecs, ils ne perdront pas courage longtemps.

Aimez-les et croyez en eux totalement. Jeanne et Georges disaient à leurs enfants: «Quels que soient vos désirs, nous souhaitons qu'ils se réalisent.» Avec un affectueux soutien comme celui-là, vous serez un rayon d'inspiration qui guidera vos enfants tandis qu'ils deviendront ce qu'ils sont capables d'être.

Essayez de comprendre

Les enfants désirent ardemment que leurs parents les comprennent. Qu'ils essaient d'apprendre à aller à bicyclette, ou qu'ils préparent le petit déjeuner pour la première fois, vos enfants tentent de maîtriser de nouvelles aptitudes et ont besoin que vous compreniez que la vie est difficile pour *eux* aussi. Si vous comprenez votre enfant, il n'hésitera pas à venir vers vous. Quand la vie bousculera vos enfants ou les secouera, ils viendront chercher consolation et protection dans votre compréhension: «Je vois bien que tu as eu une déception, raconte.» Comme dit Caroline: «Mes parents n'approuvent peut-être pas toujours, mais ils essaient toujours de comprendre.»

Comprendre ne signifie pas seulement que vous comprenez les mots qu'ils disent, mais que vous savez quand ils sont découragés, qu'ils ont besoin d'être seuls, qu'ils sont blessés ou frustrés, même s'ils ne vous le disent pas expressément. Samuel, âgé de neuf ans, rentre un jour à la maison, et, comme à son habitude, il se dirige vers le réfrigérateur; sa mère constate tout de suite que quelque chose ne va pas, peut-être à ses pas mesurés, ou alors à l'inclinaison de sa tête.

«Quelque chose ne va pas?», lui demande-t-elle. Comme il lui répond non, elle ne tente pas de le questionner davantage, et elle lui dit: «Quoi qu'il en soit, je te demande seulement de ne pas être trop dur envers toi-même.» Il fait oui de la tête en quittant la cuisine. Un peu plus tard, il lui dit qu'il a des problèmes avec des gars à l'école, mais qu'il est content qu'elle sache quand «rester en-dehors de ma tête». Cela lui a permis de sentir qu'il pouvait régler son problème lui-même.

Comprendre, ce n'est pas sauter aux conclusions en croyant que vous savez exactement ce qui se passe. Il faut essayer de comprendre le sens caché derrière les mots. Quand Léon, âgé de cinq ans, s'est mis à pleurer parce qu'il avait échappé son cornet de crème glacée par terre, sa mère lui a dit: «Ne pleure pas, je vais t'en acheter un autre.» Elle fut très déconcertée quand il lui a affirmé qu'il n'en voulait plus. Quand il s'est éloigné pour aller s'asseoir tout seul dans un coin, elle a réalisé qu'il avait taché son chandail de base-ball préféré.

«Tu as de la peine à cause de ton chandail?» Il a fait signe que oui. «Est-ce que tu as peur que la tache ne parte pas?» Il a fait signe que non. «Est-ce que tu as peur que ton chandail soit encore sale ce soir?»

«Ouais!»

En arrivant à se comprendre, ils sont parvenus à une solution. Comprendre signifie laisser votre enfant diriger et ne pas prendre les rênes tout de suite. Un enfant qui apprend à nouer ses lacets peut facilement ressentir des frustrations, mais il ne veut quand même pas que vous le fassiez pour lui. Faites plutôt des suggestions: «Tu peux peut-être essayer de cette façon.» Quand votre enfant vous demande votre avis, ne proposez pas vos réponses instantanément; demandez-lui plutôt: «Qu'est-ce que *tu* en penses?» Cela lui donne la confiance qu'il faut pour solutionner ses propres dilemmes. Il se détend, la tension diminue, et il est en mesure de relever le défi de la tâche qu'il doit accomplir.

Répondez à leurs questions

Si vous voulez que votre enfant sache bien qu'il peut vous soumettre n'importe quelle question, difficulté ou inquiétude, assurez-vous de répondre à ses questions avec la plus grande honnêteté. Cela n'est pas toujours facile, parce que les enfants ont le don de poser des questions difficiles:« As-tu déjà fait l'école buissonnière?» «Qu'est-ce qui arrive quand on meurt?» «C'est qui la mère du bon Dieu?»

L'abondance des questions est un indice d'intelligence chez les enfants. Et ce n'est pas par manque de respect qu'ils mettent en doute ce que vous dites ou ce que vous faites. Un enfant curieux ne se soumet pas aveuglément aux représentants de l'autorité, y compris à ses parents. Un enfant qui suit sans jamais poser de questions peut être dirigé facilement. Alors respectez les questions. Si vous ne connaissez pas la réponse, dites-le — «Je ne sais pas, c'est une bonne question» — puis aidez votre enfant à trouver lui-même la réponse. Essayez de ne pas perdre patience, ni avec les «pourquoi» ou les «comment ça se fait» perpétuels des tout petits, ni avec les questions plus difficiles auxquelles vous devrez immanquablement faire face éventuellement.

Quand Marjolaine a demandé à sa mère si elle avait déjà fumé la cigarette, Karine a été tentée de contourner la vérité, mais elle a décidé d'être franche, de peur que Marjolaine apprenne la vérité par sa grand-mère, et en songeant que peut-être elle la connaissait déjà. Alors Karine a répondu oui, ce qui leur a permis d'avoir une discussion honnête. Souvenez-vous que les mensonges, les demi-vérités et les tromperies troublent les enfants. Même si la question est embarrassante, la vérité est toujours le meilleur choix. Si vous ne répondez pas honnêtement, votre enfant aura l'impression qu'il ne peut pas vous faire confiance.

Et le plus délicat en ce qui a trait aux questions, c'est qu'il est important de *répondre* à leurs questions, mais qu'il est aussi important de ne pas trop en *poser* vous-même. Vous avez peut-être remarqué que les enfants, surtout quand ils approchent de l'adolescence, se tiennent souvent sur la défensive dès que vous leur posez la moindre question. Bien que vous vous intéressiez sincèrement à ce qu'ils vivent, pour une raison ou pour une autre ils croient que vous les espionnez, que vous êtes indiscret, ou que vous vous mêlez de ce qui ne vous regarde pas. Les adolescents partagent seulement ce qu'ils veulent, quand ils le veulent. Alors voici la règle: ne posez pas trop de questions aux adolescents, mais répondez *toujours* aux leurs. Vous survivrez sans y perdre votre sens de l'humour en vous disant qu'il ne s'agit que d'une étape qu'il leur faut traverser, même si vous la trouvez un peu longue! Cela passera aussi, et vous réussirez de nouveau à avoir une conversation normale.

Demandez leur avis

Élever des enfants, c'est une rue à double sens. Il ne s'agit pas de remplir un contenant vide de vos pensées, de vos sentiments et de vos croyances. Les enfants ont des opinions, des impressions, des pensées, des idées personnelles à partager; il vous suffit de leur demander. Et si vous le voulez bien, ils peuvent même vous ouvrir à de nouvelles perspectives. Ils disent la vérité. Nous, les adultes, sommes parfois un peu blasés, ou peut-être avons-nous oublié ce que c'est que d'être enfant. Manon a un jour dit à son père, au moment où ils se préparaient pour aller à l'église: «Je trouve que c'est difficile d'aller à l'église quand je m'amuse à la maison.»

Les enfants ont des opinions sur un tas de choses. Prenez le temps de leur demander: «Qu'est-ce que tu en penses?», ou «Comment te sens-tu?», ou «Tu as une idée?» Écoutez leurs réponses. Les enfants ont des observations et des suggestions personnelles valables sur tout, qu'il s'agisse de choses fort simples, comme le menu du souper, ou plus complexes, comme l'allocation et l'heure de rentrer. Michelle a suggéré de repeindre sa chambre en rose et jaune avec des carreaux verts. C'est très joli! Dès leur plus jeune âge, les enfants savent ce qu'ils aiment. À dix mois, Martin savait parfaitement qu'il n'aimait pas les courges, et il les recrachait chaque fois que son père essayait de lui en faire manger. À un an, Colette détestait jouer dans le sable et se salir les mains.

Les enfants sont des observateurs curieux du monde qui les entoure. Faites-leur savoir que c'est bien qu'ils s'expriment. Vous serez peut-être surpris de ce qu'ils ont déjà appris. Lucie confiait un jour à sa tante: «Maman pense que le Père Noël existe, mais moi je sais qu'il n'existe pas.» À six ans, Juliette disait à sa mère: «Je vais étudier ma leçon d'épellation après avoir joué pendant une heure.» Et Rolland disait à ses parents: «Je pense que pratiquer un seul sport, c'est suffisant pour moi.»

Les enfants ont beaucoup à dire et, si vous le leur demandez, ils vous donneront des idées nouvelles alors que vous-même serez peut-être dans une impasse. À l'âge de huit ans, Manda m'a parlé d'une nouvelle gardienne et elle a obtenu son numéro de téléphone par un voisin. Nous l'avons essayée, et Manda m'a informée qu'elle ne faisait pas du tout l'affaire, parce qu'elle parlait trop longtemps au téléphone. Alors je ne l'ai plus demandée.

N'écartez pas trop vite les pensées et les sentiments de votre enfant. Tout récemment, alors que je m'adressais à un groupe d'étudiants d'une école secondaire, je leur ai demandé ce qu'ils aimeraient que leurs parents fassent différemment. Une jeune fille a levé sa main et a dit: «Je souhaiterais que mes parents écoutent plus.» Plusieurs autres ont approuvé, et un adolescent a ajouté: «Les enfants savent mieux écouter que les adultes.»

Les enfants ont quelque chose à dire, alors si vous restez à l'écoute, vous découvrirez l'étendue de leur savoir. Cela peut prendre du temps et de l'énergie de solliciter la participation de vos enfants, mais c'est le début de la solution créative aux problèmes.

Apprenez d'eux

Les enfants ont un point de vue naïf et, si vous le voulez bien, ils peuvent vous apprendre des choses. Le vieux dicton selon lequel les parents ont toujours raison n'est pas nécessairement vrai. Bien que cela puisse être difficile pour notre ego de reconnaître que nous continuons toujours d'apprendre, nos enfants nous respectent quand nous le faisons.

Ce n'est pas facile pour tous les parents. Bertrand était de la vieille école - il voulait que sa fille devienne une dame, et il refusait de lui permettre de pratiquer un sport. Elle s'est rebellée et s'est jointe en secret à une équipe de tennis et à une équipe de basket-ball. Il s'est fâché quand il l'a appris, mais le jour où il a assisté à un de ses tournois et constaté son talent, ses efforts et la reconnaissance qu'elle méritait, il a courageusement admis qu'il avait eu tort. Quand vous ne savez pas quelque chose, n'ayez pas peur de l'admettre. Vous ne perdrez pas votre crédibilité en disant honnêtement: «Je ne sais pas», ou «Je ne suis pas certain».

Chaque parent peut apprendre quelque chose d'important d'un enfant. Quand Pauline a commencé à s'intéresser au projet de science de son fils de dix ans, celui-ci lui a appris l'importance du recyclage et ils ont entrepris ensemble de faire du recyclage à la maison. Des jeux vidéo aux dernières tendances de la mode en passant par les nouvelles expressions *in*, il y a toujours quelque chose de neuf à apprendre, même si, en vieillissant, nous semblons saisir moins vite.

Pour continuer d'apprendre, entretenez votre curiosité pour le monde. Pour être en contact avec votre enfant, intéressez-vous à son monde. Observez et apprenez. Richard, père de trois garçons, étudie de temps à autre avec ses fils pour voir comment les choses ont évolué. «L'histoire s'est faite et réécrite depuis le temps où moi j'étais à l'école», dit-il. «Les livres d'histoire ne sont plus les mêmes.»

Apprendre de votre enfant, c'est lui laisser entendre que vous êtes heureux de le voir grandir. Votre enfant subira des changements en grandissant, il traversera des étapes, des phases. Ce sera plus facile si vous demeurez flexible. Ajustez vos attitudes et vos règles, et laissez-les vous guider. Ne tenez pas mordicus à vos façons de faire. Quand une grande personne dit à un enfant: «Tu as peut-être raison», ou «Je n'ai jamais envisagé la chose de cette façon», ou encore «Je vois ce que tu veux dire», ça lui remonte le moral tout naturellement.

Dites oui le plus souvent possible

Oui est le mot le plus important que vous pouvez dire à votre enfant. Dites-leur oui, pour qu'ils puissent dire oui à la vie. Un enfant qu'on a élevé en lui disant oui éprouve des sentiments positifs envers lui-même et envers le monde qui l'attend. Un enfant à qui on a donné le feu vert pour explorer son monde apprend à être naturellement optimiste et entreprenant. Les enfants à qui on a dit oui sont aisément motivés et croient qu'ils peuvent réaliser des choses. Ils veulent découvrir et prendre les choses en main. Malheureusement, certains parents sont craintifs, pensent qu'il est préférable de contrôler leur enfant en lui disant *non* - ils disent automatiquement non à tout; cette approche produit toutefois très vite des contrecoups. Un enfant qui se fait constamment dire non est vaincu avant de commencer. Il se sent frustré et, dans des cas extrêmes, désespéré. Il cesse d'essayer, abandonne et déprime. On voit de la tristesse dans ses yeux.

Les adolescents, tout particulièrement, ont besoin de se faire dire oui. J'essaie de voir la chose de la façon suivante: un enfant veut uniquement faire ce qu'il est prêt à affronter. Vous n'entendrez jamais un enfant de cinq ans demander de conduire la voiture ou d'aller danser. Même les préadolescents commencent à revendiquer plus de privilèges, parce qu'ils sont prêts à assumer la responsabilité associée à cette nouvelle aventure. Ils sont prêts à élargir leur monde et, quand vous dites oui, vous leur envoyez un message positif témoignant de votre confiance en eux, ce qui en retour les aide à devenir plus indépendants et fiables.

Je tiens à souligner, cependant, qu'il y a une énorme différence entre dire oui de manière à ce que vos enfants voient la vie de façon positive, et dire oui inconsidérément et leur permettre de faire n'importe quoi. Les parents trop permissifs donnent le feu vert par défaut, parce que c'est plus facile que de s'intéresser concrètement aux activités de leurs enfants; au contraire, les parents responsables savent ce qui se passe et disent oui parce qu'ils comprennent que l'expérience sera profitable. Les parents trop permissifs donnent l'impression d'être indifférents, tandis que les autres laissent leurs enfants élargir leurs horizons en les surveillant de près.

Quand les enfants demandent, donnez-leur une réponse positive, affirmative. Et si vous ne pouvez pas dire oui tout de suite, essayez les approches du type «Ça semble intéressant - on va en discuter», ou «J'aimerais y réfléchir». Dire oui ouvre la porte aux possibilités et la fenêtre aux occasions. Dire oui crée une atmosphère de coopération et d'enthousiasme. Dire oui permet à votre enfant d'entrer dans le monde et de l'explorer.

Dites non quand c'est nécessaire

Il y a bien sûr des moments où vous devez dire non. L'enfant, à mesure qu'il grandit et qu'il apprend à se découvrir, a besoin de connaître les règles de comportement et il se tournera vers vous pour avoir des indications. Vous devez accepter de tracer les limites: tu ne peux pas sauter sur les lits, tu ne peux pas allumer le feu s'il n'y a pas d'adulte avec toi, il faut attacher ta ceinture de sécurité dans la voiture, il faut me donner la main pour traverser la rue.

Fixer des limites n'est pas la même chose que punir. Punir c'est infliger de la douleur, ce qui n'apprend jamais rien d'autre à l'enfant que ressentir des émotions négatives comme la peur et la haine. Il n'y a jamais aucune raison de punir. Blâmer, menacer, prêcher et gouverner ne donnent rien non plus; cela ne fait qu'entraîner des luttes de pouvoir inutiles. Plutôt que d'être un dictateur autoritaire, considérez-vous comme un entraîneur sensible qui communique les règles nécessaires: voici les règles du jeu et voilà leurs fonctions.

Un parent qui élève consciencieusement son enfant dit non d'une façon claire et honnête, trouve le bon moment et fait attention pour ne pas lui faire honte ou l'embarrasser. Certains parents ont tendance à faire des sermons quand ils disent non. Alain et Katia ont répondu non à une demande que leur fils leur avait faite, puis ils ont enchaîné avec une longue explication et lui ont fait la morale, en espérant qu'il comprendrait ou qu'il serait sensible à leur raisonnement. Il les a regardés et leur a dit: «Vos sermons ne me feront pas aimer votre décision.» C'était bien assez de se faire dire non sans avoir un sermon par-dessus le marché. Dire non sans donner des tas d'explications vous aide à éviter les pièges d'une discussion interminable et inutile.

Pour être capable de dire non au moment opportun, vous devez être honnête avec vous-même, ce qui signifie suivre vous-même les directives que vous imposez à vos enfants. Denis jurait comme un charretier et s'étonnait que son fils de quatre ans fasse de même. Vos enfants suivent votre exemple, alors si vous ne voulez pas qu'ils disent des gros mots, n'en dites pas vous-même. Il s'agit d'être conséquent et honnête par rapport aux règles que vous proposez.

Utilisez le non comme un outil pour enseigner et guider. Les pensées, les sentiments et les désirs sont bien, mais le comportement indésirable ne l'est pas. Évitez d'être trop permissif, de laisser vos enfants faire tout ce dont ils ont envie. Quand vos enfants se conduisent mal, ils ont besoin de votre aide pour reprendre le droit chemin. Efforcez-vous de trouver des limites convenables et des solutions créatives personnalisées. Ce n'est pas mauvais de faire de la discipline de cette façon — c'est rendre service à votre enfant. Rappelez-vous que le but de la discipline est l'autodiscipline.

Les enfants éprouvent un sentiment de liberté intérieure et de sécurité, sachant qu'ils ont appris à se guider eux-mêmes - et c'est une force dont ils auront sûrement besoin pour devenir des adultes pleinement fonctionnels.

Respectez leurs non

ous avez sûrement déjà remarqué que les enfants de deux ans passent une année complète à dire non à tout. C'est parfois le premier mot qu'ils arrivent à prononcer. Ce peut être frustrant si vous ne comprenez pas ce que cela cache d'important.

Dire non est le premier moyen pour l'enfant de s'affirmer en tant qu'individu, et c'est un signe qu'il commence à comprendre qu'il est un être distinct de vous. Plus que tout, dire non donne à l'enfant le sentiment qu'il a du pouvoir. Cela commence vers l'âge de deux ans, et cela refait férocement surface à l'adolescence. C'est tout à fait naturel. Vous vous calmerez en vous rappelant que, parfois, non signifie seulement «pas maintenant», ou «je ne suis pas prêt». À deux ans et demi, Pascal insistait pour choisir ses propres vêtements. Il ne voulait absolument pas porter de salopettes, même s'il n'avait à peu près rien d'autre à se mettre. Il a décidé qu'il détestait les salopettes, point final! Plutôt que de s'engager dans une lutte de pouvoir, sa mère s'est dit qu'il s'agissait d'un acte de maturation; après tout, elle non plus n'aimait pas qu'on lui dise quoi porter. Les respecter quand ils disent non, même si cela ne vous paraît pas logique, permet à vos enfants d'exercer leur indépendance, d'apprendre qu'ils peuvent exercer une influence.

N'oubliez pas de reconnaître les non silencieux, en respectant l'intimité de vos enfants et en leur donnant de l'espace, tant physiquement qu'émotivement. Cela signifie ne pas lire leur journal en cachette, fouiller dans leurs tiroirs, écouter leurs conversations téléphoniques ou lire leur courrier. J'ai eu ma leçon quand, sans sa permission, j'ai lu les inscriptions de ma fille dans son agenda d'école. Elle était furieuse, et avec raison. J'avais eu tort d'être aussi indiscrète. Parfois, il est possible de transformer un non en oui en admettant ses torts. L'année suivante, à ma grande surprise, Manda m'a volontairement laissé lire son agenda.

Une bonne façon d'éviter les perpétuels non de votre enfant est de lui donner des choix, comme: «Qu'est-ce que tu préfères, sortir les ordures ou mettre la table?» ou «Est-ce que tu vas tondre le gazon vendredi soir ou samedi matin?» Laissez à votre enfant du contrôle sur son monde en lui donnant une grande quantité de choix, et vous obtiendrez moins de non.

Un enfant qui sait que vous respectez son indépendance a moins besoin de se rebeller. Les adultes les plus révoltés et les plus déprimés sont ceux qui, pendant leur enfance, ont été contrôlés le plus sévèrement. Ils n'ont pas eu la chance de trouver leur propre identité ou de faire leurs propres choix. Ils ont été forcés de se soumettre respectueusement à l'autorité de leurs parents, à tort ou à raison.

Respecter le fait que vos enfants sont distincts de vous signifie vous abstenir d'espionner, de vous mêler de leurs affaires, d'insister, de fouiller, ou d'écouter aux portes, et cela signifie les laisser s'exercer à dire non à la maison, de sorte qu'ils puissent être prêts quand les tentations se présenteront. Loin de la maison, ils auront besoin de ce pouvoir sur eux-mêmes.

Soulignez les vertus de l'erreur

es enfants n'ont pas peur d'essayer de nouvelles choses; ils n'ont pas peur d'échouer et d'essayer encore. Alors, pourquoi nous, les adultes, sommes-nous si obsédés par l'échec — le nôtre et celui de nos enfants? Pourquoi est-ce si difficile de laisser nos enfants se classer dans la moyenne ou faire des erreurs? Pourquoi sommes-nous si angoissés dès qu'ils font des gaffes?

Vous croyez peut-être inconsciemment qu'il est vital à votre bien-être et à votre réussite de toujours bien paraître et de toujours faire exactement ce qu'il faut. Peut-être avez-vous l'impression d'avoir échoué quand quelque chose va de travers. Les espérances des parents sont parfois si élevées que les enfants abandonnent avant de commencer. Votre propre hantise de l'échec empêche peut-être vos enfants de faire de leur mieux, car les erreurs sont les pierres angulaires sur lesquelles nous bâtissons notre réussite.

Selon les experts en motivation, c'est notre *attitude* face aux erreurs qui fait la différence dans la réalisation de nos objectifs - pas les erreurs elles-mêmes. Toutefois, certains parents ne peuvent pas supporter l'idée que faire des erreurs fait partie du processus. Vous avez probablement vu des parents à un match sportif perdre toute contenance et crier sévèrement leurs instructions depuis les gradins. Vous avez sans doute éprouvé de la tristesse pour ces enfants, et vous vous êtes sûrement demandé ce que les parents pouvaient bien avoir dans la tête pour que la moyenne au bâton de leur enfant devienne une question de vie ou de mort.

Si vous analysez à l'infini tous les détails de la performance de votre enfant, il deviendra très probablement un perfectionniste frustré, ce qui, à la longue, peut conduire à l'épuisement. Julia se donnait beaucoup de mal pour que son fils Marc excelle à l'école. Elle lui donnait de l'argent pour le récompenser quand il avait de bonnes notes et restreignait ses moments de loisir quand il subissait des échecs. Il lui paraissait chaque année de plus en plus difficile de satisfaire les attentes de sa mère et quand il échouait, il se disait qu'il était stupide.

Bien que l'erreur puisse causer une déception, ce n'est pas une catastrophe, et il est important que votre enfant sache faire la différence. Une étude scientifique a démontré pourquoi. On apprenait à deux groupes d'élèves, tôt le matin, de nouveaux problèmes de mathématiques et de nouveaux mots à épeler. On leur permettait ensuite de prendre un léger goûter, et on leur donnait du temps pour bavarder ou pour étudier encore; après la pause, on leur faisait passer un examen. Ce programme se poursuivait toute la journée. Cela a permis de faire des découvertes étonnantes: (1) les mots à épeler et les problèmes de mathématiques que les élèves retenaient le mieux étaient ceux qu'ils avaient manqués la première fois; (2) les élèves qui étaient grondés et qu'on forçait à étudier plus fort continuaient à avoir de mauvaises notes, tandis que ceux qu'on invitait gentiment à apprendre de leurs erreurs montraient des signes d'amélioration constante.

Nous faisons tous des erreurs, mais le gagnant sait qu'il faut persévérer pour réussir: essayer, échouer, apprendre et recommencer jusqu'au succès. Par-dessus tout, le gagnant ne perd pas d'énergie à se faire des reproches ou des semonces. Il continue à s'exercer, se repose un peu, et essaie encore. Quand vous mettez l'accent sur la connaissance acquise par l'erreur, plutôt que d'insister pour que les erreurs soient évitées, les enfants restent tout disposés à essayer et essayer encore.

Reconnaissez vos erreurs

Il nous est arrivé à tous, en tant que parents, de faire des erreurs, et même parfois de faire des choix douteux. Nous avons fait quelques gaffes en grandissant; nous avons peut-être quelques squelettes dans notre placard. Nous avons connu des échecs en tant qu'adultes et en tant que parents, et nous avons fréquemment manqué de discernement. Nous avons peut-être agi trop précipitamment et avons péché par un certain manque d'amour. Nous sommes pourtant bien conscients de tout cela, alors pourquoi nous est-il si difficile d'avouer sincèrement nos erreurs aux autres, et surtout à nos enfants? Peut-être nous a-t-on enseigné que les parents doivent donner le bon exemple et qu'admettre ses erreurs ferait mauvaise impression. Nous croyons que nous devons être parfaits, mais au plus profond de nous-mêmes, nous savons bien que nous ne le sommes pas.

Si nous étions vraiment matures, quand nous blessons quelqu'un, nous le reconnaîtrions instantanément et nous nous empresserions de présenter nos excuses en toute liberté. Dans la mesure où nous le faisons, nous offrons à nos enfants le modèle de comportement que nous souhaitons leur voir adopter. Mais, que nous l'admettions ou non, les enfants savent quand nous avons manqué notre coup; alors quand votre enfant vous met face à votre mauvaise conduite, reconnaissez qu'il a raison. C'est véritablement un soulagement pour un enfant de voir ses parents reconnaître qu'ils sont faillibles. Vous savez ce que vous éprouvez quand vous dites quelque chose et qu'on vous répond: «Ce n'est pas vrai.» Vous vous sentez mal. Rien de surprenant à ce que votre enfant se sente tout aussi mal quand vous lui dites quelque chose comme ça. Mais quand vous dites: «Oui, j'ai eu tort», ou «Je suis content que tu en parles», vous ouvrez la voie à une communication réciproque honnête.

Quand un enfant est blessé, il peut avoir plusieurs types de réactions: il se retire, il boude, il fait des caprices, ou il dit des méchancetés. Soyez attentif à ces signes et interrogez votre enfant: «Je t'ai fait de la peine?» «Je t'ai déçu?» «Je t'ai laissé tombé?» S'il se sent blessé, n'essayez pas de prendre la chose à la légère ou de vous moquer en disant «Il n'y a pas de quoi en faire un drame.»

Si des excuses sont de rigueur, présentez-les librement, puis joignez l'action aux excuses. Certains parents disent: «Je suis désolé», mais ils ne changent pas leur comportement, ce qui rend les excuses tout à fait inutiles. La mère de Sara l'embarrassait souvent devant des amis en faisant allusion au désordre de sa chambre. Sara lui demanda plusieurs fois d'arrêter. Bien que la mère de Sara demandait pardon sans hésiter, une semaine plus tard, elle recommençait.

Les parents courageux, après avoir présenté des excuses, font un sincère examen de conscience pour découvrir si un changement de comportement s'impose. Si vous pouvez admettre vos erreurs et demander pardon, votre enfant respectera votre humilité. Si vous modifiez votre comportement, il verra votre courage intérieur. Peu importe l'injustice, grande ou petite, quand vous l'admettez, vous faites le premier pas pour combler le fossé entre vous et votre enfant. Quand vous avez fait une gaffe, n'essayez pas de la justifier ou de faire marche arrière; ne tentez pas de la cacher ou de la maquiller. Avouez votre erreur, présentez vos excuses, changez de comportement, prenez le parti d'en rire, et passez à autre chose.

Touchez délicatement

e toucher est un moyen d'exprimer son amour au-delà des mots. C'est le premier mode de communication avec le bébé et, tout au long de notre vie, il reste notre rapport le plus vulnérable et le plus tendre avec les autres.

Du fait qu'à chaque toucher correspond un sentiment, vous ferez bien de maîtriser le langage du toucher. Un toucher doux et léger exprime la chaleur des sentiments que vous éprouvez pour votre enfant. Cela signifie: «Je t'aime». Une étreinte chaleureuse et tendre veut dire: «Je vais prendre soin de toi.» C'est en embrassant affectueusement que vous dites: «Tu es en sécurité.» Êtes-vous tendre et bienveillant dans votre façon de toucher? Est-ce que vous donnez de légères caresses ou de petites tapes amicales ou est-ce que vous frappez, secouez, tirez, poussez, piquez, giflez, serrez, pincez, cognez, administrez des fessées? Les parents qui ont recours à la brutalité pour influencer les enfants ne semblent provoquer que du ressentiment et de la colère. Ils attirent bien sûr l'attention de l'enfant momentanément, mais à la longue, celui-ci finit par s'isoler complètement. Les enfants qui reçoivent des fessées, qu'on gifle ou qu'on frappe, apprennent très rapidement à faire de même. Ils sont intimement conscients qu'il n'est pas bien de battre les autres, mais ils ne peuvent s'en empêcher. Ils imitent leurs parents en ayant recours à la force physique pour exprimer leur frustration. Ils pensent qu'on peut s'en tirer facilement quand on est plus grand et plus fort, parce que, après tout, leurs parents les frappent et il ne leur arrive rien. Je suggère une approche différente.

Avez-vous déjà remarqué qu'un phénomène merveilleux se produit quand quelqu'un vous prend la main ou vous touche avec amour et sensibilité? Le stress et la tension se dissipent. La peur s'efface. Les bébés s'endorment dans des bras aussi apaisants. Les enfants se détendent et se calment grâce à un contact doux et rassurant. Et avis aux intéressés: les experts s'accordent à dire que l'expérimentation sexuelle précoce provient d'un désir de toucher affectueux. Alors prenez et câlinez votre enfant le plus possible. À mesure qu'il grandit, serrez-le affectueusement dans vos bras quand il est près de vous. Prenez-lui la main s'il le veut bien. Mais souvenez-vous qu'il ne faut jamais forcer un enfant à recevoir des caresses; tout comme nous, il a le droit de conserver une zone de confort autour de son espace physique personnel.

À douze ans, Claude ne voulait pas que sa mère le prenne dans ses bras, mais parfois, quand elle se tenait près de lui, il s'appuyait sur elle. C'était sa façon à lui de toucher sans que le contact soit trop intime. Antoine a dit un jour à son grand-père: «S'il-te-plaît, ne me prends pas dans tes bras quand tu viens me reconduire à l'école.» Son grand-père a respecté ses désirs et a commencé à le saluer plutôt discret d'un clin d'oeil. Toutefois, quand l'enfant vous donne le feu vert, n'hésitez pas à aller vers lui avec tendresse de façon à ce que votre contact avec lui soit une affectueuse source de réconfort, sur le moment et pour de bon.

Apprenez-leur que tous les sentiments sont acceptables

Les sentiments font partie des ingrédients de la vie humaine; ils donnent de la sensibilité. Sans sentiments, nous serions tous des robots sur le pilote automatique, ennuyeux, ternes et sans vie. Les enfants à qui l'on a permis d'exprimer tous leurs sentiments, même les moins agréables, ont en main un atout incomparable pour réussir à croire en eux et à s'entendre avec les autres. De la peur et la colère dans toutes leurs nuances, aux manifestations subtiles d'amour et de contentement, vous et votre enfant passerez par toute une gamme de sentiments d'intensités diverses. C'est normal.

Acceptez tous les sentiments de votre enfant comme étant naturels, et ne cherchez pas à savoir s'ils ont du sens. Souvent les sentiments se présentent par paires contradictoires — l'empressement et l'hésitation, la joie et la tristesse, l'amour et la haine. Il est possible d'éprouver deux sentiments à la fois ou même plus, alors ne vous inquiétez pas pour un seul d'entre eux. Voici un exemple de ce que je veux dire: un jour, alors qu'elle était âgée de sept ans, Manda était furieuse après moi pour une raison ou pour une autre, et elle s'est mise à crier : «Je te déteste, je te déteste!», avant d'aller se réfugier dans sa chambre en courant, en criant à tue-tête et en claquant la porte. Un peu plus tard, je suis passée devant sa chambre, et, sur la porte, elle avait affiché la note suivante: «Chère maman, je te déteste plus que tout au monde! Je t'aime, Manda.»

Il ne faut jamais dire à un enfant que ce qu'il ressent est mal. Si vous ne vous sentez pas à l'aise avec les émotions négatives, souvenez-vous que, quand on ne porte pas de jugement face à l'expression d'un sentiment négatif, ce dernier perd son pouvoir destructeur comme par enchantement; c'est quand des sentiments de ce type sont réprimés et intériorisés qu'ils causent des dommages. Quand les sentiments d'un enfant sont acceptés, celui-ci se sent moins seul, éprouve moins de colère et moins de crainte, se sent plus sûr de lui-même, et ne se sent pas obligé d'agir avec dureté et indifférence.

Quand un enfant exprime un sentiment, quel qu'il soit, de la colère à la peur en passant par la joie, il n'a rien à faire de vos jugements, de votre logique, de vos conseils ou de vos propos rassurants. Au milieu d'une forte crise émotive, il ne veut ni se justifier, ni s'expliquer; il a seulement besoin de votre compréhension. L'enfant veut que vous compreniez ce qu'il ressent; quand vous comprenez, il se sent soulagé, sachant qu'il peut vous confier ses sentiments. Le fait d'accepter ces sentiments aide à les dissiper, et votre enfant peut retrouver son calme.

Les parents qui ne tolèrent pas les sentiments de leur enfant ne le connaissent que superficiellement; ils ne pourront jamais se rapprocher de lui, ni connaître le fond de son coeur, et il y aura toujours un fossé entre eux. Mais les parents qui acceptent les vagues de sentiments contradictoires en eux-mêmes et chez leurs enfants favoriseront l'authenticité et la profondeur dans leurs relations.

Recherchez leurs vrais sentiments

En tant que parent, vous avez la tâche énorme de comprendre ce qui se passe dans la tête de votre enfant, et dans la vôtre; c'est particulièrement difficile si l'on vous a grondé, ridiculisé ou fait honte à cause de vos sentiments quand vous étiez enfant. Si cela vous est arrivé, vous avez probablement été, d'une certaine façon, coupé de vos émotions, et maintenant vous pouvez facilement vous sentir confus quand votre enfant exprime quelque chose que vous ne comprenez pas. Mais pour élever votre enfant de façon à ce qu'il devienne une personne pleinement fonctionnelle, vous devez vous exercer à saisir ses sentiments, même ceux qu'il ne comprend pas lui-même. Vous devrez souvent vous fier à votre intuition pour découvrir ce qui se passe, parce que votre enfant ne s'exprimera pas toujours avec des mots. C'est un des aspects les plus stimulants de l'art d'être parent.

Quand un enfant n'est pas raisonnable, pas docile, pas coopératif, qu'il est angoissé, réservé, capricieux, d'humeur changeante, ou qu'il a des comportements que vous ne comprenez pas, il lutte avec des sentiments qu'il ne peut pas exprimer. C'est à vous de l'aider à les découvrir. Quand les Messier ont ramené leur bébé à la maison, ils croyaient avoir bien préparé Érica à l'arrivée de sa petite soeur. Ils ont pris la peine de s'assurer qu'Érica recevait beaucoup d'attentions spéciales, alors ils furent très déconcertés quand elle a commencé à se jeter sur le sol et à pleurer sans raison apparente. Quand Linda nourrissait le bébé, Érica s'assoyait dans un coin et pleurait. Sa mère essayait de la rassurer, mais sans succès. Puis Linda demanda à Érica: «Es-tu fâchée?» Elle tendit une poupée à Érica et lui dit «Montre-moi à quel point tu es fâchée, n'aie pas peur». Érica se mit à frapper la poupée et lui brisa le cou. Linda ne l'a pas punie, mais lui a dit: «La prochaine fois que tu seras fâchée comme ça, viens m'en parler.» Après encore une ou deux crises de larmes, grâce à la douce bienveillance de sa mère, Érica a cessé d'être jalouse.

Les parents ont tendance à traiter leurs enfants de la même façon qu'ils ont été traités *eux-mêmes*. À l'âge adulte, Carl était toujours irrité et négatif. Il se plaignait, se moquait de tout et ridiculisait tout le monde, n'était jamais heureux ni enthousiaste, et il était susceptible. Il était néanmoins bouleversé quand son fils, Alexandre, lançait des objets parce que quelque chose n'allait pas. Carl punissait Alexandre pour ses impulsions destructrices et se demandait pourquoi leur vie de famille était si tendue.

Les enfants sont comme des miroirs qui reflètent notre vie émotive. Si vous ne comprenez pas ce que votre enfant ressent, branchez-vous d'abord sur vos *propres* sentiments. Prenez un peu de recul et demandez-vous: «Qu'est-ce que je ressens? Que se passe-t-il en moi?» Comme Carl, vous découvrirez peut-être que, depuis le début, c'est *lui* qui était fâché et qu'Alexandre reflétait ce sentiment par sa conduite. Quand Carl a changé de comportement, Alexandre a fait de même. En écoutant votre voix intérieure, vous serez mieux en mesure de réagir aux vrais sentiments de votre enfant.

Laissez-les pleurer

es larmes ont plusieurs significations. Il y a des larmes de tristesse et de douleur, et il y a des larmes de bonheur et de joie. Il y a les pleurs sonores des nouveaux-nés qui signifient: «J'ai faim», ou «Prends-moi dans tes bras, je me sens seul.» La maman apprend vite à reconnaître la signification des pleurs de son bébé.

Mais il n'y a pas que les bébés qui pleurent. En grandissant, bien sûr, les petits garçons et les petites filles auront souvent besoin de pleurer. Les larmes constituent une façon naturelle de consoler un coeur brisé et d'exprimer une déception. Les larmes peuvent être un trop-plein de bonheur ou le débordement d'un coeur joyeux. Bien qu'il puisse être troublant de voir son enfant pleurer, c'est parfois le seul moyen qu'il a à sa disposition pour réussir à se calmer.

Même si vous vous sentez impuissant devant les larmes de votre enfant, n'essayez jamais de les arrêter; il aurait honte et cela lui apprendrait à réprimer ses émotions. Si vous voulez faire quelque chose quand votre enfant pleure, demandez-lui doucement: «Tu veux que je mette mes bras autour de ton cou?» S'il accepte, prenez-le doucement dans vos bras et dites-lui que c'est bien de pleurer. Faites-lui comprendre que les larmes sont la preuve qu'une personne est sensible et affectueuse. Ne le jugez pas, et ne l'embarrassez pas. Laissez-le pleurer jusqu'à ce qu'il ait évacué toute sa peine et toute sa douleur avant de lui demander pourquoi il pleurait.

Ne le forcez pas à parler, parce qu'il ne sait pas toujours exactement pourquoi il pleure. Parfois, pleurer est la seule chose dont il ait besoin. Si vous ne vous en mêlez pas, les larmes vont le soulager, il retrouvera bientôt toute son énergie et se sentira de nouveau heureux.

Quand Gérard a accidentellement lancé une balle de base-ball dans la fenêtre des voisins, il est rentré à la maison en courant et en pleurant si fort qu'il en perdait le souffle. Aucun mot ne pouvait le consoler - il avait juste besoin que son père le tienne dans ses bras et le comprenne. Quand il a finalement réussi à se calmer et à raconter ce qui s'était passé, son père s'est mis à rire: «Tu te rends compte, Gérard, si tu avais été au parc, c'aurait été un coup de circuit!» Là-dessus, ils se sont dirigés ensemble vers la maison des voisins pour discuter de l'incident. Quel merveilleux soulagement pour un enfant, quand ses parents savent être sympathiques!

Ne cachez pas vos larmes

Pas plus que vous n'empêcherez vos enfants de pleurer, ne retenez jamais vos larmes. Les larmes sont inévitables quand on est parent, et elles peuvent dépendre de toutes sortes de choses. Il y a les larmes de joie intense qu'on verse quand on prend pour la première fois son petit bébé dans ses bras, et les larmes de chagrin quand on réalise qu'on a agi sans réfléchir ou dit quelque chose qu'on ne pensait pas vraiment. Il y a encore les larmes d'angoisse, quand on voit son enfant malheureux, et les larmes de soulagement, quand il rentre enfin à la maison sain et sauf.

Les larmes viennent parfois au moment où on les attend le moins. Parfois votre enfant fait ou dit quelque chose qui semble si innocent, mais toutefois si profond, que les larmes coulent doucement sur vos joues. Marc, par exemple, avait amené sa belle-fille, Jeannette, à une réception pour pères et filles. Les petites filles, l'une après l'autre, se levaient, présentaient leur père et prononçaient quelques mots. Quand ce fut le tour de Jeannette, elle lut un texte qu'elle avait composé elle-même et qui s'intitulait: «Ce que mon beau-père a fait pour moi...» Marc n'en croyait pas ses oreilles d'entendre sa fille de huit ans lire une liste de choses qu'il lui avait enseignées, des choses qu'il avait en partie oubliées depuis longtemps. «La première chose que je me rappelle avoir apprise de mon beau-père, c'est comment nouer mes lacets. C'était un professeur patient. Il m'a appris à marcher en équilibre sur une poutre et à me tenir sur les mains. Il m'a appris à me servir d'un marteau et à repeindre ma chambre.» La liste continuait et finissait par: «maintenant mon beau-père m'apprend à conduire son bateau. Je t'aime, papa.» Jeannette revint s'asseoir près de Marc et lui prit la main... il ne put retenir ses larmes.

Les larmes sont inévitables quand on est parent. Ne cherchez pas trop à savoir *pourquoi* vous pleurez; ce qui est important, c'est de les laisser vous soulager. Les larmes nettoient, elles vous débarrassent de la poussière, elles vous éclaircissent la vue. Vous vous sentirez soulagé après avoir pleuré un bon coup. Les larmes indiquent que votre coeur est ouvert; vous êtes vivant, vous sentez votre coeur se serrer, vous sentez la chaleur. Il n'y a aucune raison d'avoir honte ou de se cacher. Si vous laissez vos larmes couler librement, un phénomène étrange se produit et vous vous mettez bientôt à rire de bon coeur. Le rire et les larmes vont ensemble — parfois vous riez si fort que vous vous mettez à pleurer, et parfois vous pleurez si fort que vous vous mettez à rire.

Certains parents croient à tort qu'il est mauvais que leur enfant les voit malheureux. Ce n'est pas forcément vrai; l'important c'est de ne pas lui faire croire qu'il n'en tient qu'à lui que vous alliez mieux. Un jour que je pleurais à chaudes larmes dans mon lit, Manda, âgée de six ans, est venue s'asseoir près de moi, et a mis affectueusement ses bras autour de mon cou.

Comme je mettais ma tête sur sa petite épaule, elle me dit: «C'est comme si j'étais la maman et toi la petite fille.» J'ai approuvé, et elle a ajouté: «Pleure, maman, ça fait du bien, mais si ça ne te dérange pas, je vais fermer la porte, parce que tu me déranges vraiment.» Là-dessus, elle m'a donné un petit baiser sur la joue et a dit: «Appelle-moi si tu as besoin de moi.»

Laissez le champ libre aux caprices et aux querelles

hacun des membres d'une même famille peut par moments être de mauvaise humeur, mal en train, capricieux ou tout simplement difficile à vivre. Chaque famille a ses désagréments, ses petits ennuis et ses sujets de reproche parmi ses membres. Mais les caprices et les querelles ne doivent pas gâcher votre journée ou votre vie de famille. Quand vous avez eu une journée difficile, il n'y a aucune raison de vous en prendre à vous-même, à votre conjoint ou à vos enfants; et vous n'avez pas à vous sentir malheureux juste parce que votre conjoint est difficile ou que vos enfants font des caprices.

Adam et Thérèse voulaient que tout le monde s'entende et soit heureux. Ils refusaient qu'il y ait des conflits dans la famille, et ils n'acceptaient pas l'expression de sentiments négatifs. Ils ne se disputaient jamais et exigeaient que leurs enfants fassent ce qu'on leur disait. Quand les enfants répliquaient ou qu'ils se querellaient, ils étaient punis. Le système semblait bien fonctionner, jusqu'à ce qu'un jour un de leurs fils commence à prendre de la drogue. Toute la famille s'est éventuellement retrouvée en thérapie, pour découvrir un grand nombre de conflits non résolus et de bouleversements émotifs. Bien que leur vie de famille soit désagréable par moments, ils savent maintenant qu'il est préférable de faire face aux problèmes à mesure qu'ils se présentent, plutôt que de les enfermer dans une marmite avec un couvercle pour leur permettre de fermenter.

Ils ont commencé à respecter les étapes de résolution de conflit où tout le monde gagne: d'abord se rencontrer pour discuter des problèmes; ensuite permettre à chacun d'exprimer ses sujets de reproche sans s'injurier, sans blâmer, sans s'interrompre, et sans faire subir d'interrogatoire. La troisième étape consiste à faire un tour de table pour énumérer les solutions possibles, et la quatrième est une période de réflexion. Chacun réfléchit aux solutions possibles et aux gestes qu'il est lui-même prêt à poser. La cinquième étape consiste à choisir une solution acceptable pour tout le monde, à faire des compromis si nécessaire. Finalement, la solution est mise en application et il ne reste qu'à aplanir les difficultés à la rencontre suivante.

C'est une bonne idée d'apprendre à vos enfants comment exprimer leurs reproches et comment réagir aux vôtres. Faites-leur savoir qu'ils peuvent être en désaccord avec vous, et que vous ne les mépriserez pas pour autant. Montrez-leur que vous pouvez découvrir avec eux des solutions originales.

Quand vous devez faire face à des caprices ou à des querelles, souvenez-vous que vous ne pouvez pas toujours faire plaisir à vos enfants.

Vous vous perdrez si vous essayez. Eux non plus ne peuvent pas toujours vous faire plaisir, alors ne leur faites pas sentir qu'ils le devraient. Vous n'avez pas à avoir raison tout le temps, et quand vous avez effectivement raison, il n'est pas nécessaire de le faire savoir. N'exacerbez pas le problème en insistant pour pointer qui a raison ou qui a tort. Choisissez soigneusement vos batailles. Si vous faites des drames à propos de tout et de rien, les choses importantes se perdent dans le tourbillon. Ignorez les vétilles, et n'oubliez pas que les saines querelles, combinées à une approche de résolution de conflit où tout le monde gagne, peuvent conduire à une meilleure communication et à une plus grande coopération dans la famille. Et ce n'est pas parce qu'une seule personne est de mauvaise humeur que tout le monde doit être bouleversé.

Enseignez vos valeurs par l'exemple

C'est en vous observant que les enfants apprennent leurs valeurs. Les valeurs ne sont pas enseignées directement, elles sont assimilées et absorbées, et par ce subtil processus d'identification, votre enfant vous imitera. Si par exemple vous valorisez la politesse, mais que vous parlez rudement à vos enfants, jamais ils n'apprendront les bonnes manières. Si vous valorisez la gentillesse, soyez gentil avec vos enfants. Ils remarquent beaucoup plus ce que vous faites que ce que vous dites. Le vieux cliché: «Faites ce que je dis, ne faites pas ce que je fais», n'est pas seulement tout à fait inefficace, il envoie des messages mixtes qui sèment la confusion chez l'enfant et qui sont injustes pour lui.

Pour les Daigneault, l'argent avait une grande importance. Ils parlaient de leurs comptes de banque au déjeuner et surveillaient de près les mouvements de la bourse. Ils dépensaient leur argent avec prudence, mais ils achetaient toujours ce qu'il y avait de mieux. Quand ils allaient au restaurant avec des amis, ils divisaient toujours méticuleusement l'addition. Ils discutaient du prix des biens et ils étaient fiers d'avoir des économies. Ils faisaient payer un loyer à leurs enfants et leur faisaient des sermons sur le coût de la vie. Ils furent très surpris de voir que leurs enfants étaient incapables de garder leur emploi et qu'ils voulaient emprunter de l'argent constamment. Leur fils de vingt ans refusait de travailler pour le salaire minimum, bien qu'il ait acheté une voiture luxueuse. Ils se demandaient pourquoi l'argent avait si peu d'importance pour leurs enfants, alors qu'il en avait tant pour eux. Vue de l'extérieur, cette observation semblait juste, mais en y regardant de plus près, il apparaissait clairement que les enfants étaient *exactement* comme leurs parents. Eux aussi voyaient tout en termes d'argent — combien peut-on en obtenir, comment peut-on le garder pour soi, et qu'est-ce qu'on peut acheter. Les Daigneault avaient voulu inculquer à leurs enfants l'importance de la gestion financière, mais ils leur avaient appris à aimer l'argent.

C'est une entreprise très délicate que d'enseigner des valeurs. Quelles valeurs souhaitez-vous transmettre à vos enfants? Mettez-vous en pratique ce que vous prêchez? Est-ce que vous valorisez l'honnêteté en les punissant d'une façon ou d'une autre quand ils disent la vérité? Rose demanda un jour à Geneviève, sa petite fille de quatre ans: «C'est toi qui a colorié le mur?»

«Non», répondit-elle, morte de peur.

«Tu ferais bien de dire la vérité», prévint Rose. Quand Geneviève finit par avouer, sa mère lui enleva ses crayons de couleur, lui donna une fessée et la gronda parce qu'elle avait menti. Qu'est-ce que Geneviève a appris ce jour-là? Que c'est douloureux de dire la vérité.

Souvenez-vous que vous enseignez par votre exemple dans la vie de tous les jours. Soyez tout à fait honnête en incarnant les valeurs que vous souhaitez transmettre à vos enfants. Si votre foyer permet à vos enfants de grandir dans un milieu paisible, éducatif et sécurisant, vous faites votre part.

Respectez leurs différences

Il n'y a pas deux enfants pareils. Dès son deuxième mois d'existence, le bébé donne déjà des signes qu'il a sa propre personnalité. Certains bébés sourient et rient librement, d'autres sont plus sérieux et réservés. Il y a des bébés calmes et tranquilles, et des bébés dont les bras et les jambes sont constamment en mouvement. Certains bébés dorment beaucoup, d'autres restent éveillés. Certains bébés ont du tempérament, d'autres sont sociables; certains sont mal à l'aise avec les étrangers, d'autres sont des petites vedettes qui adorent attirer l'attention. Certains bébés s'amusent seuls, d'autres ont besoin qu'on s'occupe d'eux.

Tout comme il y a des différences d'apparence et de tempérament, il y a des variations dans les façons d'apprendre les talents, les intérêts et les aptitudes. Certains enfants sont des petits génies en mathématiques, tandis que d'autres excellent en dessin. Certains aiment la compétition des sports d'équipe, d'autres préfèrent lire dans une petite maison construite dans un arbre. Certains s'absorbent dans des jeux électroniques, d'autres sont heureux quand ils ont beaucoup d'amis autour d'eux et qu'ils parlent au téléphone pendant des heures. Certains sont agréables et coopératifs, d'autres font tout le temps valoir leur point de vue. Et bien que cela rende la vie plus compliquée, cela la rend plus excitante. *Vive la différence.*

Puisque tout le monde est différent, il n'est pas utile de faire des comparaisons. Si vous remarquez que vous avez tendance à vous comparer aux autres, vous aurez la même tendance à comparer votre enfant aux autres enfants, ou à comparer vos enfants entre eux. La comparaison est une sorte de maladie: elle engendre les disputes, pas le type de saine compétition qu'on retrouve dans les sports, mais un profond sentiment d'incompétence, d'incapacité d'être à la hauteur. Dans ce genre de compétition, pour être simplement correct, il faut être *le meilleur*.

Certains parents commencent à comparer dès le début, mais c'est un exercice futile. Il y aura toujours quelque part un enfant qui sera plus futé, ou plus gentil, ou plus talentueux que le vôtre. Dans un environnement où tout est scruté et distingué, l'enfant n'a pas la chance de se développer pour devenir un individu unique et spécial.

Tous les enfants grandissent et apprennent à leur propre rythme, et il n'y a à cet égard aucune place pour les comparaisons. Rappelez-vous qu'un bébé n'apprend pas à marcher en étant comparé aux autres bébés; dans un certain sens, il apprend plutôt par les encouragements qu'on lui témoigne devant ses gauches tentatives pour y parvenir. Quand il se lève pour la première fois en se tenant au bord du sofa, qu'il fait deux pas et qu'il tombe, papa et maman cessent toutes leurs activités du moment pour proclamer : «Jean marche!» et applaudir avec enthousiasme. Ils le notent même dans le livre de bébé. Mais imaginez ce qui arriverait s'ils disaient:

«Il était temps... Sa soeur courait déjà à cet âge-là.» Jean renoncerait peut-être à jamais!

Laissez tomber votre instrument de mesure imaginaire. Votre plaisir n'en sera que plus grand à la vue de ces êtres uniques et merveilleux qui s'épanouissent à la lumière de votre amour inconditionnel.

Partagez vos rêves

Tout le monde rêve. Nous rêvons pendant notre sommeil, nous rêvons quand nous sommes éveillés, nous avons des souhaits, des désirs secrets aussi — et c'est la même chose pour les enfants. Tout le monde pense à l'avenir. Tout comme vous, les enfants imaginent ce que sera leur vie. Faire des plans, des voeux, évoquer et rêver sont les premières étapes que l'on doit traverser pour devenir qui l'on veut. Les rêves et les voeux ne demandent qu'à être partagés. Échanger ses rêves ouvre la porte à la découverte de soi.

Âgée de cinq ans, Viviane me dit un jour: «J'ai fait un rêve effrayant.»

«Ah oui?», lui dis-je. «Dessine-le-moi.»

«Je ne peux pas», soupira-t-elle.

«Tu ne veux pas essayer?» Elle prit le papier et les crayons, et dessina des animaux magnifiques de toutes les couleurs. «Comme c'est coloré!», lui dis-je.

«Oui, oui, je dessine très bien. Est-ce que je peux les mettre sur ton mur?», demanda-t-elle, tout en ajoutant: «Ils ne nous feront plus peur maintenant, parce que je les ai rendus heureux.» Elle avait transformé un rêve effrayant en une image de bonheur. Les images du rêve se sont dissipées d'elles-mêmes, sans que nous ayons à faire le moindre effort.

Quand on confie un rêve nocturne, sa signification potentielle n'a aucune importance. Quand on confie un rêve fait en étant éveillé, il importe peu qu'il se réalise ou non. Ce qui est vraiment important, c'est de mettre l'accent sur le partage, l'ouverture, les leçons apprises et la connaissance mutuelle que cela représente. Envisagez le partage de vos rêves comme un moyen d'apprendre à mieux vous connaître l'un l'autre.

Les cartes de rêves sont un bon moyen pour y parvenir. Une carte de rêve est une affiche comportant des images et des mots qui représentent ce que vous souhaitez. Découpez dans des magazines des images et des mots qui symbolisent ce que vous voulez pour vous-même. Faites un collage, et placez vos cartes de rêves sur un mur, à un endroit où vous pouvez les voir quotidiennement, et attendez de voir ce qui se passera.

À douze ans, Judith me dit qu'elle se sentait déprimée et qu'elle n'avait envie de rien du tout. Elle n'avait pas de but, et plus rien ne l'enthousiasmait. Je lui ai suggéré de faire une carte de rêves et de l'apporter au bureau pour la partager. Elle l'a apportée trois semaines plus tard, et elle m'a parlé de chaque image. Elle a elle-même été très surprise de ce qu'elle a découvert, et elle s'est mise à se promener à bicyclette tout comme elle l'avait dessiné sur sa carte.

Tout commence par une idée, un rêve, une vision, et quand, grâce à vos encouragements, les enfants partagent leurs rêves et leurs aspirations, ceux-ci peuvent devenir réalité. Une nuit, comme c'est arrivé aux parents d'Antoine, votre enfant viendra peut-être vous réveiller pour vous informer qu'il projette de devenir comédien. Antoine passa une audition auprès d'une troupe de théâtre et obtint un rôle de soutien. Partagez vos rêves; vous y trouverez des façons nouvelles et merveilleuses de vous découvrir vous-même et de vous découvrir les uns les autres.

Les expressions

En riant avec votre enfant,
vous apercevrez un coin du paradis.

Changez vos habitudes

Les enfants sont naturellement curieux de tout. Ils viennent au monde sans idées préconçues, et dès le début ils veulent tout apprendre. À l'âge de trois ans, ils sont devenus des machines à marcher, à parler et à poser des questions. «Pourquoi les nuages sont-ils moelleux?» «Où va la pluie?» «Pourquoi est-ce que grand-maman est vieille?» «Pourquoi? Pourquoi? Pourquoi?» En acceptant leur curiosité, non seulement leur donnez-vous la permission d'apprendre, mais vous faites de l'apprentissage une aventure toujours renouvelée, parce que la façon dont vous réagirez à leur curiosité aura un effet sur leur attitude envers l'école et envers leur propre intelligence. Malheureusement, quand la curiosité des enfants n'est pas encouragée et stimulée, ils se ferment et l'apprentissage devient alors plus difficile.

Un bon moyen de les encourager à explorer est d'élargir votre monde et de faire vous-même preuve de créativité dans votre vie. Les nouveaux-nés ont besoin d'une routine, mais en grandissant les enfants veulent aussi du changement. C'est généralement plus facile de s'en tenir à la routine établie, mais si vous essayez de faire des choses qui sortent de l'ordinaire, vous découvrirez une vitalité nouvelle et un jaillissement d'énergie mentale. Tout le monde a besoin de changement de temps en temps — vous en avez besoin, et votre enfant aussi.

Quand vous avez l'impression de vous encroûter, que vous vous sentez blasé ou angoissé, alors il est temps de changer votre routine. Faites une surprise à votre enfant et amenez-le déjeuner au restaurant un jour d'école. Faites preuve d'un peu d'audace: allez au cinéma un soir de semaine et laissez-le dormir plus tard. Vous serez étonné de l'effet de ces petits changements sur votre imagination. Transformez le souper en pique-nique, ou campez dans la cour, échangez les corvées, inventez de nouvelles règles à vos jeux de société, ou laissez votre enfant dormir chez des amis ou des parents. Les petits changements dans la routine prennent peu de temps et peuvent apporter de toutes nouvelles dimensions à votre vie de famille.

Discutez-en, prenez une chance, essayez une nouvelle approche; vous apprendrez à votre enfant qu'il existe de nombreuses options et plusieurs façons différentes de faire les choses. Une atmosphère riche en expériences nouvelles est pour votre enfant la meilleure façon d'apprendre.

Riez, dansez et chantez ensemble

Un foyer où l'on se sent bien est un endroit où les parents et les enfants peuvent se détendre et se remettre des pressions de la journée. Rire, chanter et danser sont les moyens les plus rapides de transformer les préoccupations en célébrations. Avoir du plaisir ensemble solidifie les liens familiaux et favorise les relations honnêtes et harmonieuses entre les membres de la famille. En grandissant, vos enfants auront beaucoup plus de chances de se sentir bien en famille si tout le monde a du plaisir.

C'est stimulant d'être dans une maison pleine de musique. Commencez, quand vos enfants sont petits, par leur chanter les berceuses de votre enfance. Créez des versions personnalisées de vos chansons préférées. Encouragez vos enfants à vous enseigner les chansons qu'ils apprennent, et laissez-les écouter vos disques. Mettez de la musique quand vous faites la vaisselle; faites une petite gigue en brassant le jus d'orange. Vos enfants s'en amuseront, et vous contribuerez à l'harmonie d'une vie familiale où une place est accordée aux petits plaisirs innocents; mais le plus important, c'est que vous créerez une atmosphère où les membres de la famille peuvent passer des bons moments ensemble, ce qui est vital pour l'ouverture de la communication, surtout avec les adolescents.

Quand Édouard et Clara s'exerçaient à danser le tango dans la salle de séjour, leurs deux fils se roulaient de rire sur le sol. Ils avaient tant de plaisir qu'ils recommençaient fréquemment. Et tout en partageant ces moments de fou rire avec leurs enfants, ils ont presque réussi à maîtriser le tango.

Les enfants de William savent quand leur père est à la maison, parce que le système de son est à plein volume. Il écoute toutes sortes de musiques - Mozart, Bach, les Beatles, Elton John. Bien que les enfants le taquinent sur ses goûts en musique, ils aiment ça autant que lui, mais pour une raison différente: c'est rassurant pour eux de savoir que leur père a du plaisir.

Faites connaître à vos enfants plusieurs genres musicaux; il n'y a rien de tel pour se détendre et avoir du plaisir, et c'est si facile à partager. Certaines études indiquent que les bébés réagissent à la musique douce même avant leur naissance.

Une mère que je connais adorait danser et faire jouer de la musique dans toute la maison. Elle disait à ses enfants: «La musique est la nourriture de l'âme.» Bien qu'elle ne les ait jamais forcés, ils ont tous été exposés à sa passion dès leur plus jeune âge; cela ne vous surprendra sans doute pas d'apprendre que chacun d'entre eux a appris facilement à jouer d'un instrument de musique. Pendant les randonnées en voiture, chanter aide à faire passer le temps. Quand elle a des courses à faire en ville, Line s'assure toujours d'avoir une grande variété de cassettes dans la voiture pour distraire les enfants.

Le rire sert de pont entre vous et vos enfants, il permet de vous rapprocher. Riez souvent; racontez des blagues sans vous moquer ou taquiner. Essayez de voir les côtés amusants de la vie. Quand le rire et la musique sont courants dans vos contacts avec vos enfants, la vie de famille est plus stimulante et vous en garderez de bons souvenirs. Conservez une chanson dans votre coeur. Riez de bon coeur, dansez spontanément et les yeux de vos enfants pétilleront quand ils songeront à vous.

Donnez-leur des surnoms affectueux

Les surnoms affectueux sont comme des petits mots doux qui font fondre votre coeur. Utiliser des petits mots affectueux, comme mon trésor, mon petit sucre d'érable, ma chérie, mon amour, ma chouette, mon coeur, ma petite princesse, c'est comme partager un secret spécial qui vient du fond du coeur. C'est un moyen de dire à votre enfant que vous aimez sa compagnie, qu'il est spécial pour vous, et ce nom doit lui être exclusivement réservé. C'est une façon simple et joyeuse de tendre la main, de vous rapprocher de vos enfants, de leur dire qu'ils sont précieux et importants. Pendant qu'ils se promenaient en voiture, Jeannine, son beau-fils et sa belle-fille faisaient preuve de créativité en s'inventant toutes sortes de noms les uns pour les autres: «Jeannine la coquine», «Louis l'étourdi», «Mireille le soleil». Tout le monde s'y mettait, riant aux drôles de rimes et à leurs significations; dix ans plus tard, toute la famille se rappelait ce petit jeu de noms avec émotion.

Les petits noms affectueux indiquent à vos enfants qu'ils auront une place pour toujours dans votre coeur. J'ai inventé une petite chanson pour Amanda en utilisant le nom affectueux que je lui ai donné. J'écris ses surnoms dans les cartes que je lui donne, et j'ai compris qu'elle aimait cela quand elle a commencé à les utiliser pour signer ses propres mots et cartes. Elle m'a aussi donné plusieurs noms affectueux, et quand je l'entends m'appeler «Maman chérie», je suis aux anges. Nous avons également donné des noms affectueux particuliers à sa tante, à un cousin et à des amis.

Les noms affectueux sont rassurants et amusants. Rappelez-vous, cependant, que comme les noms affectueux sont des mots tendres, il est préférable de les utiliser dans l'intimité. N'utilisez jamais de nom qui embarrasse ou ridiculise votre enfant, et il est probablement mieux de ne pas utiliser de nom affectueux devant ses amis, à moins que vous n'ayez abordé la question avec lui auparavant et que cela ne le dérange vraiment pas.

Si vos parents ou vos grands-parents ont déjà utilisé des noms affectueux à votre égard, vous savez à quel point cela peut être réconfortant. N'est-il pas extraordinaire que, quel que soit votre âge, chaque fois qu'on s'adresse à vous en utilisant votre nom affectueux, une sensation de bonheur vous submerge, et que vous sentez qu'on s'intéresse vraiment à vous? Si vous ne l'avez pas encore fait, choisissez tout de suite un nom affectueux particulier pour votre enfant, cela lui donnera une source de joie pour la vie.

Envoyez-leur des lettres d'amour

Les lettres d'amour sont des petits mots personnalisés adressés à vos enfants pour leur faire savoir que vous pensez à eux avec affection. Ce sont des petits rayons de soleil qui réchauffent leur journée. Ce sont des surprises qui surviennent quand vos enfants s'y attendent le moins. Mettez des petits mots sous leur oreiller, collez-les sur le miroir de la salle de bain, ou placez-les dans leur boîte à lunch pour qu'ils les trouvent à l'heure du dîner. Le papa d'Amélie préparait sa boîte à lunch tous les jours et y mettait toujours un petit mot. Elle avait toujours hâte de le lire, même en vieillissant. Parfois, c'était une blague, d'autres fois un mot d'esprit, une histoire intéressante, un ragot, une bande dessinée, ou un simple bonjour à côté d'un visage joyeux. Quand elle est entrée au collège, les petits mots de son père lui manquaient plus que les goûters qu'il lui préparait.

Glissez un petit mot dans sa poche ou dans une de ses chaussures pour créer une surprise encore plus grande. Placez-en un dans un tiroir, ou épinglez-le à l'intérieur de sa veste. Pensez à en envoyer par la poste - recevoir sa première lettre par la poste peut causer tant de joie à un enfant que cela vaut amplement le coût du timbre. Je connais un père dont la fille de treize ans faisait face à une amère déception, alors il lui a envoyé une lettre à son école par courrier recommandé. Cet effort supplémentaire lui a remonté le moral et lui a donné du courage, tout en démontrant sans l'ombre d'un doute que même les adolescents pouvaient profiter d'attentions spéciales de la part de parents qu'ils écartent souvent.

Prenez l'habitude d'écrire des petits mots quand ils sont jeunes. Alice a appris à ses jumeaux à écrire grâce à des notes immenses affichées partout dans la maison. À mesure que les enfants vieillissent, écrire des mots peut être très utile pour résoudre des différends ou des conflits en évitant les discussions interminables. Les enfants de tous âges réagissent souvent mieux à une note leur rappelant une corvée à faire, qu'à la voix de maman qui est toujours sur leur dos. Une maman collait des aide-mémoire sur le miroir de la salle de bain, où ils ne pouvaient passer inaperçus: «S'il-vous-plaît, vider le lave-vaisselle à 16 h 00 pour que nous ayons de la vaisselle propre pour souper.» Sa fille s'exécuta et laissa une réponse à sa mère: «Merci, mais j'aimerais mieux avoir de la nourriture.» La tâche avait été accomplie, et tout le monde a bien ri.

Envoyer des petits mots est une autre façon de dire à vos enfants à quel point ils sont importants. Quand Zacharie est parti pour le camp d'été, ses parents lui ont écrit une lettre dans laquelle ils lui racontaient des souvenirs de leurs propres expériences au camp, et lui donnaient des petits conseils pratiques amicaux: «Appelle à la maison le dimanche soir», «Prends au moins une douche», et «Change de sous-vêtements». Par ce moyen, ils lui ont fait savoir qu'ils pensaient à lui pendant son absence. Les lettres écrites avec votre coeur illumineront la journée de votre enfant. Écrivez-lui que vous l'aimez, que vous le remerciez de ce qu'il vous a appris et pour les corvées dont il s'acquitte.

Construisez des forts avec des couvertures

vez-vous remarqué que les petits enfants adorent jouer et dormir dans des endroits douillets? On dirait qu'ils ont un instinct naturel pour cela. Les forts dans la maison et les tentes dans la cour arrière ravissent tous les enfants. Parmi mes souvenirs les plus tendres, je me rappelle que ma mère enlevait les coussins du sofa et nous permettait d'utiliser des couvertures pour nous faire des cachettes.

À l'âge de cinq ans, Manda adorait dormir dans sa penderie. Un jour, je la vis passer avec un marteau et des clous, et puis j'ai entendu cogner. «Qu'est-ce que tu fais?» «Je construis une tente», répondit-elle. Je suis allée voir, et en effet elle était en train de clouer ses beaux draps neufs et son édredon aux murs de sa penderie. Bon, me dis-je, après tout, à quoi servent les draps si on ne s'en sert pas, et d'ailleurs elle semble avoir tellement de plaisir. Elle a dormi là pendant six semaines environ. Puis elle a suspendu des draps à la cage d'escalier pour construire une nouvelle cachette. Bien sûr, ces forts multicolores mettaient la maison sens dessus dessous, mais ces petits inconvénients étaient largement compensés par les étincelles de joie pure qu'on voyait dans ses yeux. À sept ans et demi, elle a traversé une phase de propreté; elle passait des heures à nettoyer sa chambre et à mettre de l'ordre dans ses tiroirs. Ce sera probablement la même chose pour vos enfants.

Les enfants du voisinage s'amusent aussi pendant des heures dans des forts. Anne laisse les enfants construire des forts dans le sous-sol. Étienne a construit un bateau dans la baignoire, en utilisant même des tapis pour ne pas tomber. Les forts sont amusants, qu'ils soient construits dans un arbre ou à partir d'une boîte de carton; l'imagination fait son oeuvre, et les enfants passent des heures à créer un nouveau monde merveilleux. Des compagnons de jeu imaginaires peuvent même se mettre de la partie.

Il n'y a rien comme un fort construit avec des couvertures dans la salle à dîner pour transformer un jour de pluie en aventure, ou un enfant qui s'ennuie ou fait des caprices en un petit génie créatif; d'ailleurs, y prendre un repas ou y passer la nuit, c'est un véritable luxe. L'été, c'est agréable de passer la nuit dans une tente montée dans la cour ou sur la terrasse. Essayez, vous verrez ce que je veux dire.

Faites voler des cerfs-volants ensemble

On a souvent dit que jouer est un travail important pour les enfants, et si vous avez déjà observé un bébé de trois mois intensément occupé à jouer avec ses mains, vous comprenez pourquoi. Le bébé examine ses mains de près, remarque les motifs, les teintes, les formes et les sons. Le jeu est significatif, créatif, et c'est un ingrédient vital dans le développement de l'enfant. Au moyen du jeu, les enfants développent des habiletés sociales, interagissent avec des camarades de jeu, solutionnent des conflits, expriment leurs pensées, leurs sentiments, acquièrent des connaissances et utilisent leur imagination. Ils peuvent le faire seuls, avec leurs frères et soeurs, avec des amis, avec des étrangers et avec vous. Que vous jouiez à faire coucou, aux billes ou à la marelle, jouer avec votre enfant mettra du soleil dans votre journée.

Jouer spontanément et sans inhibitions est une manifestation naturelle et rafraîchissante de votre vitalité. Quand vous mettez de côté vos préoccupations et vos responsabilités d'adulte pendant un moment, un miracle d'harmonie se produit, dont vous garderez le souvenir pendant longtemps. Jouer avec votre enfant n'a pas à coûter cher ou à vous prendre toute la journée. Il n'est pas nécessaire d'avoir des jouets sophistiqués ou d'élaborer des plans compliqués. Denise a montré à ses enfants à jongler avec des guimauves; Antoine a hâte à l'été pour jouer à la cachette avec ses enfants et avec les voisins. Déclenchez un petit combat d'oreillers pendant que vous faites les lits, ou jouez à chat perché dans la cour quelques minutes — c'est spontané, tout le monde s'amuse, et c'est même un bon exercice!

Jacques a grandi dans une famille pauvre, dans une petite ville au bord de la mer. Même si l'argent était rare, il ne se sentait jamais dépourvu, parce que sa famille trouvait toujours des moyens de s'amuser. Par exemple, ils allaient à la plage pour faire voler des cerfs-volants qu'ils avaient eux-mêmes confectionnés. Chaque année, lui, sa soeur et ses cinq frères, avec leurs parents, participaient au festival annuel de cerfs-volants. Ils passaient des mois à concevoir des cerfs-volants, à les fabriquer, et des heures à essayer de nouveaux trucs pour les faire voler. Les trophées et les rubans qu'ils s'étaient mérités étaient exposés dans une armoire vitrée. Ils étaient ravis quand ils gagnaient, c'était agréable de voir leurs efforts couronnés, mais ce dont Jacques se rappelle surtout ce sont les moments qu'ils ont passés tous ensemble. Maintenant qu'il est lui-même père, Jacques se fait un devoir de jouer avec ses enfants chaque semaine — il a même acheté un cerf-volant à son fils de onze mois.

Faire voler des cerfs-volants avec vos enfants vous fait sentir libre et joyeux. Vous pouvez sentir dans tout votre corps le vent qui saisit le cerf-volant et vous berce tout doucement. Le ciel vous accepte tranquillement, vous entoure et vous protège. Vous devenez vous-même un enfant, et votre esprit est libéré. Quand vous disparaissez dans les nuages, la ligne qui vous sépare de votre enfant se dissout. Regardez les nuages, et partagez les histoires qu'ils racontent. Courez dans le vent, et roulez sur le sol. Il n'y a pas de règles, seulement la liberté. Vous ne pouvez pas forcer le cerf-volant, vous devez accepter la direction qu'impose le vent. C'est une merveilleuse métaphore pour la vie.

Ne prenez pas tout trop au sérieux

Être parent, c'est important — c'est probablement le rôle le plus important de votre vie — mais il n'est pas nécessaire d'avoir tout le temps une approche trop stricte et trop sérieuse. Ce peut être amusant d'être parent, si vous ne prenez pas tout au sérieux. La vie de famille devient plus stimulante et détendue; les enfants sont plus coopératifs et apprennent plus facilement dans une atmosphère allègre. Les problèmes sont plus facilement résolus, et les inquiétudes ne sont pas exagérées pour rien. Les enfants se développent bien auprès de parents heureux qui s'occupent d'eux avec amour. La vie est si courte. Ne paniquez pas devant leur façon de s'habiller; ce n'est vraiment pas un crime de porter des vêtements aux couleurs mal assorties. Et ne vous énervez pas s'ils veulent sauter un bain, cela ne les rendra pas malades.

Vos enfants sont avec vous pour un temps assez court. Profitez de toutes les occasions pour être heureux, de façon à pouvoir en savourer les moments. Être sérieux, accablé, constamment critique et négatif demande beaucoup d'efforts. Par contre, être détendu et joyeux vient beaucoup plus naturellement, et c'est aussi plus sain. Vos enfants seront beaucoup plus dociles si vous n'êtes pas stressé. Ralentissez. Vous devrez faire l'effort de vous concentrer sur autre chose que la tâche astreignante que vous avez entreprise, et vous devrez peut-être vous rappeler ce que sont vos véritables priorités, mais toute votre famille en tirera avantage. La vaisselle sale restera peut-être dans le lavabo un peu plus longtemps, et cette brassée de lavage attendra peut-être encore une journée, mais était-ce *vraiment* plus important que de lire une histoire à votre enfant avant qu'il s'endorme, ou de le laisser vous raconter sa journée à la maternelle?

Même dans les moments de crise, l'approche décontractée replace plus facilement les choses dans la bonne voie. Stéphanie, âgée de neuf ans, criait un jour à sa mère: «Tu es *tellement* méchante!» Quand son père est entré dans la pièce, il sentit tout de suite à la tension qui y régnait qu'une querelle était imminente. «Qu'est-ce qui se passe?», demanda-t-il.

«Maman est *tellement*... méchante!»

Il écouta attentivement Stéphanie lui raconter son histoire, et puis il lui dit: «Eh bien, tu n'as qu'à la considérer comme ta méchante marâtre à toi toute seule.» Là-dessus, tout le monde s'est mis à rire.

Quand vous vous sentez accablé par les responsabilités et prêt à crier parce que la poubelle déborde, que votre carnet de chéques n'est pas à jour, qu'il faut nourrir le chien, et que personne ne fait sa part, arrêtez-vous un moment et demandez-vous si cela aura de l'importance la semaine prochaine ou dans un an. La réponse sera probablement non, mais ce qui *comptera* vraiment sera la qualité de vos relations avec les membres de votre famille. Personne ne se souciera que le plancher avait besoin d'être balayé, mais l'on se souviendra peut-être que maman s'est mise à hurler, parce qu'elle était éreintée. Le sérieux et le malheur sont des habitudes que vous pouvez très bien changer en changeant de perspective. Quand votre petit qui fait ses premiers pas vous *aide* à laver la vaisselle, regardez son visage radieux plutôt que les flaques d'eau sur le sol. Rappelez-vous vos priorités. Vous pouvez vous acquitter de vos corvées quotidiennes en maugréant et en gémissant, ou avec bonne humeur. C'est à vous de choisir.

Prenez du temps loin d'eux

ersonne ne veut être ensemble tout le temps. Les enfants ont besoin de temps loin de vous, et vous avez besoin de temps loin de vos enfants. Qu'il s'agisse d'une petite pause dans la journée, ou d'une escapade de week-end, la séparation fait du bien à tout le monde.

Commencez par faire des petites sorties quand ils sont bébés. Aline s'assoit sur les marches de l'escalier avant pour lire, pendant que son bébé de trois mois fait la sieste. Parfois, elle fait garder le bébé pour aller faire une promenade en bicyclette. Bien qu'il soit vrai que certains bébés s'adaptent bien aux personnes qui s'occupent d'eux affectueusement et que d'autres se rebellent, du moment que vous trouvez quelqu'un en qui vous pouvez avoir confiance pour garder, cela vous fera le plus grand bien de sortir un peu. Marthe a le coeur serré quand elle laisse son petit Nicolas, âgé d'un an, pour suivre ses cours de poterie. Il pleure toujours en la voyant sortir, mais à son retour elle le trouve chaque fois en train de s'amuser joyeusement.

Les petites séparations peuvent vous aider à voir la vie d'un autre oeil et à avoir plus d'estime les uns pour les autres. Quand ils seront en âge d'aller à l'école, vos enfants vont commencer à vouloir passer la nuit chez des amis. À l'âge de six ans, Juan a commencé à passer ses vendredis soir avec ses copains. Son père, parent célibataire, s'ennuyait de lui, mais il s'est dit que c'était bon pour Juan de voir comment vivaient les autres familles, alors il n'en a pas fait une affaire personnelle, et il s'est aperçu qu'il aimait bien avoir du temps pour lui-même.

Ne prétendez pas que vous êtes trop occupé. Robert convainquit un jour Marielle de l'accompagner dans un voyage d'affaires pour un week-end, alors que leurs jumelles étaient âgées de deux ans. Marielle fut au supplice pendant les six premières heures environ, mais quand elle a appelé à la maison et que sa mère l'a assurée que tout allait pour le mieux, elle s'est détendue. Maintenant, ils partent en week-end chaque automne, laissant leurs quatre adolescents s'occuper d'eux-mêmes. Ils appellent cela leur «voyage indispensable à la santé mentale».

Vous avez régulièrement besoin de temps pour être seul, pour réfléchir, pour respirer calmement. Vous avez également besoin de temps pour avoir des conversations intimes avec votre conjoint et vos amis. Si vous avez besoin d'une pause de quelques minutes, allez faire une sieste dans votre chambre ou prendre un bain. Une intermission de quinze minutes peut être très vivifiante pour vous et vos enfants. Lisa disait à ses enfants de cinq et sept ans: «Je me sens de mauvaise humeur, je vais faire une petite pause dans ma chaise d'escapade.» Ça marchait.

Prenez congé pour un week-end. Si vous vous sentez coupable, dites-vous qu'un petit peu de culpabilité est préférable à une montagne de ressentiments parce que vous n'avez jamais de temps pour vous-même. Quand vous êtes stressé, épuisé, ou que vous souffrez d'un excès de promiscuité, le meilleur moyen de régler le problème est de dire à vos enfants: «Il est temps que je fasse une pause. J'ai besoin d'être seul pendant une demi-heure.» Et sortez votre affiche «Ne pas déranger.» En fait, assurez-vous que chaque membre de la famille ait son affiche «Ne pas déranger», qu'il peut suspendre à sa porte quand il a besoin de s'évader et d'être seul.

Lisez des livres à voix haute

Les livres enseignent, divertissent et stimulent l'imagination. Lire des livres à voix haute solidifie encore les liens. Quand ma fille était petite, elle avait tellement d'énergie qu'elle restait éveillée très tard avec les yeux grand ouverts, tandis que moi je tombais parfois de sommeil. Alors tous les soirs je lui faisais la lecture à haute voix, en espérant qu'elle s'endormirait. Elle adorait ça, et je lui lisais une histoire chaque soir. Souvent, je cognais des clous en plein milieu d'une histoire. Mais même quand je ne le faisais pas, elle ne voulait jamais que je cesse de lire. C'est alors que j'ai mis la technologie moderne à contribution. J'ai commencé à enregistrer nos sessions de lecture sur cassette. Elle pouvait ainsi écouter la cassette de l'histoire quand elle le voulait. Cela lui procurait du réconfort quand je n'étais pas là. Notre ami Ashoka a fait la même chose. Il lui a ainsi appris un peu de français, d'allemand et d'italien. Parfois il lisait l'histoire en anglais, et il ajoutait un peu de français pour mettre du piquant.

Nous avons même préparé des cassettes ensemble, avec toutes sortes d'histoires: des contes de fées, des comptines, des aventures et des classiques. Nous avons ajouté de la musique. Elle pouvait les écouter à n'importe quelle heure du jour ou de la nuit. Elle apportait son baladeur, ses écouteurs et ses cassettes, quand nous devions nous déplacer en voiture, ou à d'autres occasions où elle risquait de s'ennuyer. Elle a maintenant seize ans, elle dévore les livres, et écoute encore occasionnellement les cassettes que nous avions faites.

Acheter un livre, l'enregistrer sur cassette et lui donner les deux fait un cadeau idéal. Toute la famille peut préparer une cassette ensemble, chacun lisant à son tour des parties de l'histoire, jouant le rôle d'un ou de plusieurs personnages, ou empruntant des drôles de voix. Les cassettes sont de bien meilleures gardiennes d'enfants que la télévision. Il n'y a aucun doute, fermer la télévision et lire des livres est excellent pour la tranquillité des nerfs, sans parler de l'esprit. Vous pouvez faire cela pour votre enfant, ou avec lui; faites-en une pour les grands-parents — c'est un cadeau personnalisé qui dure toute la vie.

Créez des moments de tranquillité

vez-vous déjà remarqué que les enfants peuvent devenir si excités qu'il est impossible de les calmer? Qu'ils peuvent devenir, sans trop de stimulation, capricieux, exigeants et pleurnichards? Comme les adultes, les enfants ont besoin de moments de calme tous les jours. Nous nous concentrons parfois tellement sur l'importance de trouver des activités pour nos enfants que nous oublions de leur apprendre les vertus des moments calmes. Cela vaut la peine d'aider votre famille à découvrir le plaisir du silence et les avantages qu'il y a à prendre son temps et à prendre la vie du bon côté.

Les moments de tranquillité sont apaisants pour le système nerveux; le silence est le meilleur tranquillisant. Créer de tels moments aide les enfants à se détendre et à relaxer. Un bébé difficile se calmera beaucoup plus rapidement dans les bras d'un parent calme, centré vers lui-même et paisible. Un parent qui a les nerfs à fleur de peau et dont l'énergie est sens dessus dessous transmettra son état au bébé. Margot, mère d'un nouveau-né, faisait du yoga pour se détendre, tandis que son mari amenait le bébé faire une promenade en poussette.

C'est grâce à ces moments de tranquillité que votre enfant découvrira la différence entre le monde extérieur et son propre monde intérieur. Grâce au silence, votre enfant apprendra à se connaître lui-même et à découvrir sa vie intérieure.

Quand il étudiait pour passer les examens du barreau, Daniel avait besoin de plus de tranquillité le soir, alors il a appris à ses jumeaux le jeu du «silence et du chut». Il a fabriqué des insignes qui portaient l'inscription: «*Chut*, je garde le silence.» Les garçons ont appris que, quand leur papa portait son insigne, il était temps de jouer sans faire de bruit ou de lire. Ils en sont venus à respecter les moments dont leur père avait besoin pour étudier, tout en apprenant à s'amuser entre eux et à devenir autosuffisants, et maintenant ils savent comment s'occuper les jours de pluie. Ils n'ont pas peur d'être seuls avec eux-mêmes.

Certaines familles se fabriquent un horaire d'activités et de responsabilités si serré qu'elles ne prennent jamais une minute pour s'asseoir, se détendre et rester tranquilles. Certains parents parlent tellement que les enfants se ferment complètement. D'autres familles ont tellement l'habitude de la télévision et des bruits de fond qu'il y a toujours un appareil qui joue à plein volume, même si personne n'écoute.

Les enfants qui sont capables de jouer seuls dans un coin tranquille apprennent à reconnaître leur besoin de solitude. Dès son plus jeune âge, Maxime disait à ses parents «J'aime le calme.» Les moments de tranquillité dans la maison sont le début de la conscience de soi et de la méditation. Pendant les moments de tranquillité, l'enfant se sent calme et serein. Créer des moments de tranquillité dans votre foyer dès le début vous aidera, vous et vos enfants, à trouver votre paix intérieure.

Faites l'école buissonnière ensemble

Vous rappelez-vous quand vous étiez enfant et que vous prétendiez avoir mal au ventre ou avoir la grippe? Vous n'étiez pas vraiment malade, mais vous aviez besoin de prendre une journée de congé. Alors vous restiez au lit à vous plaindre, en espérant que votre maman aurait pitié de vous et qu'elle n'insisterait pas pour que vous alliez à l'école. Vous vous sentiez coupable, mais vous aviez désespérément besoin d'une journée de santé mentale. Parfois votre mère fermait les yeux, d'autres fois elle ne se laissait pas convaincre.

Si vous voulez éviter ce genre de disputes inutiles avec vos enfants, pourquoi ne pas faire l'école buissonnière avec eux? Cela ne vous ferait sûrement pas de mal de prendre congé de temps en temps. Si cela peut vous rassurer, rappelez-vous qu'un des meilleurs moyens de faire sentir à votre enfant que vous l'aimez est d'oublier votre ordre du jour chargé pour lui accorder toute votre attention.

Au moins deux fois par hiver, par une belle journée ensoleillée, les Tremblay appellent à l'école pour dire: «Les enfants n'iront pas à l'école aujourd'hui; notre famille doit aller en ski.» Un changement de rythme met du piquant dans la vie. Une journée d'école buissonnière peut vous donner un regain d'enthousiasme qui vous aidera à poursuivre votre routine de tous les jours.

J'ai laissé Manda faire l'école buissonnière à l'occasion, et je ne crois pas que ça lui ait fait du tort; en fait, ce fut un élément important de son éducation. Parfois, elle lisait au lit toute la journée. Il lui est arrivé de rester à la maison pour nettoyer sa chambre et changer les meubles de place. Je me suis jointe à elle, et j'ai fait la même chose. Parfois nous faisions une sortie spéciale, comme aller au musée et au restaurant. Une fois elle a passé une demi-journée à me suivre dans des courses que j'avais à faire pour le travail.

L'idée de faire l'école buissonnière venait parfois d'elle et parfois de moi. Nous l'avions rarement planifié à l'avance; cela semblait se présenter au moment opportun, quand l'une ou l'autre en avait le plus besoin. Manda n'a jamais abusé de ce traitement de faveur; je crois qu'il lui suffisait d'avoir le choix. Maintenant qu'elle est à l'école secondaire, elle me dit qu'elle est trop occupée pour faire l'école buissonnière avec moi, mais j'espère toujours qu'elle trouvera bientôt le temps!

Marchez sous la pluie

La pluie est un bon moyen de se rappeler à quel point notre attitude peut influer sur tout. Certaines personnes laissent la pluie gâcher leur journée; d'autres la considèrent comme un cadeau du ciel. Les enfants semblent aimer la pluie. Ils aiment se mouiller et patauger dans les flaques d'eau. Un soir, Manda, qui avait cinq ans, regardait un orage par la fenêtre de la cuisine. Elle était très excitée; elle me dit: «Maman, je veux aller dehors et danser avec le vent.»

«Tu vas te mouiller», lui ai-je répondu.

«Ce n'est pas grave», me rassura-t-elle, «je suis sale.»

Riant en moi-même, je l'ai laissée faire. Elle tournoyait et pirouettait, les bras tendus. Elle frappait la terre de ses pieds et riait avec délices, se mouillant jusqu'aux os. Alors je me suis dit: Pourquoi pas?, et je suis allée la retrouver pour prendre une douche dans la cour. À ce moment-là, je me suis sentie fraîche et simple. C'était la joie pure. Nous avons fini la soirée enveloppées dans de chaudes couvertures à siroter des chocolats chauds. C'était beaucoup plus amusant que d'écouter la voix de la raison. Manda se souvient encore de cette soirée, et elle m'a fait un merveilleux compliment: «Tu es folle, maman, mais c'est une belle folie.»

Quand il s'agit de goûter les petits plaisirs de la vie, les enfants sont nos meilleurs professeurs. Les adultes oublient rapidement et se laissent absorber par de petites choses stupides qui n'ont pas beaucoup d'importance. Qu'est-ce que ça peut bien faire que vous mouilliez complètement vos chaussures en marchant sous la pluie? En vous arrêtant à ce détail, vous ratez tout le plaisir du moment. Les enfants peuvent nous rappeler de conserver une attitude positive et de concentrer nos pensées sur ce qui fait vraiment chanter nos coeurs.

Par un autre soir d'orage où il y a eu une panne de courant, Manda et les enfants du voisinage se sont rassemblés avec empressement devant notre foyer pour faire griller des saucisses et se raconter des histoires de fantômes à la lueur d'une chandelle. J'étais un peu embêtée par ce contretemps, parce que j'avais prévu de faire le ménage de la maison mais, tout en mettant un chandail et une autre paire de bas, j'entendais rire les enfants, et une voix intérieure me rappela qu'il serait toujours temps demain de passer l'aspirateur et d'épousseter, alors que le moment présent ne serait plus là. Les enfants se sont serrés dans des sacs de couchage et ont fait griller des saucisses et des guimauves, et j'ai appris à ne pas céder à mes réactions de parent! J'ai appris à me détendre et à laisser la pluie tomber.

Marchez pieds nus

vez-vous déjà remarqué que les petits enfants adorent enlever leurs chaussures et leurs bas chaque fois qu'ils le peuvent? Il y a peut-être de bonnes raisons à cela. Enlevez vos chaussures, enlevez vos bas, et remuez vos orteils. Marchez dans le sable, marchez dans l'herbe, et sentez la terre sous vos pieds.

Quand vous réalisez que vous rapportez plus fréquemment du travail à la maison et que vous négligez peut-être les personnes que vous aimez; quand vous insistez pour que les corvées soient effectuées avant de vous détendre et de prendre du plaisir à la vie; si vous avez tendance à vous inquiéter, à vous sentir accablé de responsabilités ou à vous stresser jusqu'à l'épuisement, une petite aventure pieds nus vous ferait sans doute le plus grand bien. Demandez-vous: «Le travail passe-t-il avant le temps passé avec mes enfants?» Plutôt que de tant travailler, enlevez vos chaussures, mettez du vernis à ongles sur vos orteils, ou faites-vous masser les pieds!

Caroline avait neuf mois quand elle a commencé à enlever ses chaussures et ses vêtements. Sa mère me dit: «Elle refuse de porter des vêtements qui irritent la peau ou qui sont trop ajustés.» Cela m'a semblé parfaitement logique. Si vos vêtements sont confortables, vous vous sentirez mieux, penserez un peu moins, et bougerez beaucoup plus. Sans chaussures, vous ne verrez pas le monde tout à fait de la même façon.

Samuel et Marguerite insistent pour que leurs enfants enlèvent leurs chaussures dans la maison. Marguerite dit: «Comme ça je n'ai jamais besoin de crier parce qu'il y a de la boue sur les planchers ou les tapis.» Samuel l'approuve: «La maison est tellement plus calme quand les enfants courent pieds nus dans tous les sens.» En fait cela leur plaisait tellement qu'ils ont commencé à demander à leurs invités de tous âges de faire la même chose. Cette habitude devint si courante qu'il suffisait de voir une paire de chaussures près de la porte d'entrée pour que les invités soient portés à se déchausser tout de suite en entrant.

Le fait de bien traiter vos pieds peut vous relaxer et vous permettre d'être plus gentil avec vos enfants; après tout, ce sont les seuls que vous avez! Enlevez vos chaussures étroites, agitez vos orteils, et respirez. Laissez vos pieds vous rappeler que vos enfants ont besoin que vous leur accordiez du temps et qu'ils vous veulent calme et à votre aise!

Encadrez leurs dessins et accrochez-les au mur

Avez-vous déjà remarqué comme tous les petits enfants sont des artistes? Des petits génies créateurs prêts à éclore et à être découverts. Les enfants peuvent nous apprendre des tas de choses en matière de créativité - il suffit de les observer quand ils peignent. Il sont complètement absorbés par leur dessin, ils y mettent absolument toute leur attention, leur concentration et leur amour. Ils ne se préoccupent pas de ce que les autres pensent - ils donnent tout ce qu'ils peuvent.

La créativité prend plusieurs formes. Je connais un petit garçon de quatre ans qui peut démonter une montre et remettre presque exactement toutes les pièces en place. Quand son père a découvert ce curieux phénomène, il a compris l'aptitude de son fils pour la mécanique. Il achète de vieilles montres et de vieilles horloges chez les brocanteurs, et le petit garçon les aime plus que n'importe quel autre jouet.

Rachelle a créé une galerie d'art pour la famille en accrochant une corde le long d'un mur et en fixant les dessins et les peintures avec des épingles à linge. Elle et les enfants apportent régulièrement des contributions à cette galerie. Paul a encadré les portraits de famille dessinés par son fils de quatre ans et les a suspendus dans son bureau.

Grâce à l'art, les enfants apprennent à résoudre des problèmes. Quand votre enfant est fâché, frustré, ou qu'il a peur, faire un dessin et raconter une histoire peut l'aider à se sentir mieux. Quelques temps avant que René soit opéré, sa mère l'a aidé à dessiner ce qui allait lui arriver. L'art apprend aux enfants qu'il y a plusieurs façons de voir les choses, et ça le rappelle aux parents par la même occasion. Ne dites jamais à un enfant comment faire un dessin. Qui dit qu'une vache ne peut pas être rouge? Et pourquoi faut-il colorier à l'intérieur des lignes?

Il faut toujours encourager la créativité, parce qu'on ne sait jamais où cela peut mener. Je connais un grand magasin où l'on vend des bijoux conçus à partir des dessins d'une fillette de douze ans. Une mère utilisait les dessins de son fils pour faire des cartes de souhaits; celui-ci travaille actuellement dans l'industrie du film. Un père s'est servi, pour fabriquer ses cartes de visite, d'un logo que sa fille avait griffonné sur un bout de papier. Cela lui a donné l'impulsion qu'il fallait pour devenir graphiste. À partir des dessins que font ses petits pendant l'année, Juliette fait des calendriers qu'elle envoie aux grand-parents.

Quand un enfant explore sa créativité, il découvre son potentiel. Quand son potentiel est compris et reconnu, son avenir est assuré. Encadrez leurs dessins, et soudain ils vous paraîtront convenables pour n'importe quelle galerie. Accrochez-les sur les murs, et ils sont prêts à s'envoler.

Veillez tard ensemble

uand les enfants sont petits, c'est bien qu'ils aillent au lit selon un horaire régulier. Mais de temps en temps, ça change le rythme de veiller un peu plus tard, surtout quand les enfants commencent à vieillir. Le monde a une apparence différente la nuit, et les enfants veulent voir ce qui se passe; ils ne veulent rien manquer. Peut-être qu'ils ne sont tout simplement pas fatigués - certains enfants ont trop d'énergie pour aller tous les soirs au lit à la même heure. Cela peut poser un problème pour les parents qui ont hâte que les enfants aillent se coucher pour avoir un peu de temps à eux. Mais forcer les enfants à se mettre au lit quand ils ne sont pas fatigués a bientôt des répercussions, qui se traduisent par d'innombrables demandes de verres d'eau ou d'allers et retours à la salle de bain.

Si l'heure du coucher devient un problème, il serait peut-être indiqué d'essayer une nouvelle approche. Certains parents évitent l'épuisante bataille-du-coucher en disant: «Du moment que tu ne nous déranges pas, tu peux rester debout, mais nous, nous allons nous coucher.» Magalie, âgée de sept ans, a résisté au sommeil jusqu'à 23 h 05 un soir, et le lendemain soir elle a repris son horaire habituel. Jocelyn et Patricia évitent les larmes du coucher en laissant leurs enfants de trois et quatre ans s'endormir sur le sol dans des sacs de couchage. Maintenant, plutôt que de s'entêter à ne pas se coucher, ils ont hâte de «faire du camping».

Essayez de faire du coucher une partie de plaisir pour vos enfants. Laissez-les inviter un ami pour passer la nuit, faire leur lit dans la penderie, dormir sous leur lit, ou lire tranquillement des histoires dans le couloir. Élizabeth a acheté une veilleuse pour que Clémentine, âgée de trois ans, puisse regarder ses livres les soirs où elle n'est pas tout à fait prête à s'endormir à l'heure du coucher. Vous serez surpris de voir à quel point un simple compromis peut transformer la corvée du coucher en un agréable changement de rythme.

En veillant plus tard, les enfants commencent à comprendre leur propre rythme naturel de sommeil, et découvrent comment se détendre. Ils vont s'endormir quand ils auront sommeil et commencer à établir leurs propres horaires de coucher. Quand ils savent qu'ils peuvent avoir une certaine marge de manoeuvre, les querelles du coucher diminuent. Évidemment, à l'adolescence, ils vont probablement toujours se coucher plus tard que vous. Ne vous inquiétez pas, ça aussi c'est naturel.

Amusez-vous à faire des bêtises

ouvez-vous faire des idioties, ou êtes-vous totalement irrécupérable? Si vous n'arrivez pas à faire des pitreries de temps en temps, c'est que vous êtes peut-être devenu tellement *parent* que vous avez perdu le contact avec votre petit côté espiègle et enjoué. Cela veut peut-être dire que vous avez oublié qu'on peut avoir du plaisir dans la vie. Êtes-vous généralement d'humeur plutôt difficile? Ou, pire encore, êtes-vous sur le point de mourir d'ennui et de devenir ennuyeux? Êtes-vous un bourreau de travail?

Vos enfants vous voient-ils rire souvent? Malheureusement, certains parents assomment leurs enfants avec un excès de sérieux, parce qu'ils font l'erreur de croire que leur devoir d'éducation leur impose d'être sévères et de travailler avec ardeur. Ils ne savent peut-être pas que faire des idioties est un moyen naturel de réduire le trop-plein d'énergie après avoir appris une nouvelle tâche, ou après avoir ressenti une émotion forte. Si vous vous prenez à faire des sermons sur le bon vieux temps, c'est que vous êtes prisonnier de votre routine. Il est sans doute temps de faire un pas en avant, de dénouer vos cheveux et de changer de point de vue.

Vous ressentez un peu de fatigue et commencez à remarquer que certaines rides vous barrent le front? Dans ce cas, il est possible que vous ayez besoin de ce genre de thérapie que seul un enfant peut procurer: sautez sur une trampoline et lisez des bandes dessinées pour commencer. Demandez-vous: «C'était quand la dernière fois que j'ai passé un peu de temps à ne rien faire?» «C'était quand la dernière fois que j'ai fait des âneries?» Hier, la semaine dernière, l'année dernière? Il n'est jamais trop tard. Si vous éprouvez des sentiments négatifs et que vous avez l'impression que rien ne va comme vous voulez, arrêtez-vous ne serait-ce qu'une petite demi-heure à jouer un jeu idiot avec votre enfant. Essayez «Simon dit» ou «Suivez-le-guide», ou le jeu de serpents et d'échelles. Si vous ne réussissez pas à vous convaincre de le faire pour vous-même, faites-le pour votre enfant - laissez-lui voir l'enfant en vous pour changer; il en sera ravi.

Faites des petits déjeuners excentriques, mangez des rôties à la cannelle, des crêpes en forme d'hippopotames et buvez du thé au jus d'orange avec des pailles. Le midi, sirotez des milk-shakes aux fraises et avalez des sandwiches à la purée de banane en forme de coeur. Et au souper, trempez des légumes ou vos doigts dans une sauce au beurre d'arachide, et dégustez une soupe au chocolat chaud. Les bêtises aussi, c'est bon pour la santé.

Si vous êtes devenu une vieille personne malcommode et sévère, demandez à un enfant de vous apprendre à jouer. Quand vous vous sentez nerveux, inquiet ou dans tous vos états, faites une pause bêtise; pensez à des bêtises, faites des bêtises, dites des bêtises, sautez à cloche-pied. Si vous manquez désespérément de pratique, observez votre enfant pour avoir des exemples; vous ne trouverez nulle part d'entraîneur si empressé. Le rire de votre enfant est le meilleur remède contre le mal qui vous ronge.

Éclaboussez-vous sans gêne

Avez-vous déjà remarqué que les enfants, aussi bien que les adultes, sont fascinés par l'eau? Tout le monde semble graviter autour de l'eau. De la baignoire à la pataugeoire en passant par l'évier de la cuisine, les enfants aiment toucher l'eau et la sentir; ils aiment arroser et vaporiser. L'eau a des pouvoirs de guérison magiques — on se sent mieux près de l'eau. L'eau chasse la mélancolie.

Je me souviens que Manda m'a un jour démontré un fait scientifique. Elle m'a dit: «Maman, j'aime l'eau; elle change de forme». Elle m'a demandé de regarder attentivement la démonstration de sa découverte. Elle versa lentement de l'eau dans un verre et m'indiqua fièrement que l'eau était ronde. Ensuite, elle la versa dans un contenant carré et m'a montré que l'eau s'était transformée en carré. Je dois admettre que j'ai été impressionnée par son génie, parce que n'avais jamais vraiment pensé à l'eau de cette façon.

Faites connaître l'eau à vos enfants. Amenez-les à la piscine, au lac, à la rivière ou à la mer, et vous verrez comme la vie s'écoule facilement.

La natation est une activité familiale qui procure du plaisir tout en étant un excellent exercice. Allez faire un tour à la piscine de votre voisinage quand vous ressentez de l'ennui, de la fatigue ou de la mauvaise humeur. L'été, organisez des batailles avec des pistolets à eau. Allez dans les glissades d'eau, ou rafraîchissez-vous sous un arroseur. Mettez vos orteils dans un lac ou laissez-vous flotter le long de la rivière dans un canot pneumatique. Aspergez-vous, ne serait-ce que dans la baignoire. Quand il fait très chaud, ou quand vous êtes tout simplement en colère contre la terre entière, le contact de l'eau vous rafraîchit l'intérieur, comme l'extérieur.

Bien qu'il soit important que vos enfants sachent nager si vous vivez près d'un cours d'eau, ne faites pas de l'eau une tâche à maîtriser. Un petit garçon m'a dit qu'il s'inquiétait de ne pas savoir nager. Peut-être était-ce parce que ses parents l'ont forcé à prendre des leçons avant qu'il ne soit prêt à le faire. C'était une bataille chaque fois. Lui pleurait, et eux menaçaient. Ils ont gaspillé tout un été de cours de natation dans cette lutte acharnée. L'année suivante, il sauta à l'eau de lui-même dès la première leçon. Il est préférable de laisser les enfants découvrir la natation à leur propre rythme - il n'y a aucune raison de les pousser. Il ne faut jamais forcer les enfants à nager. Il suffit de leur en donner l'occasion, et ils y arriveront quand ils seront prêts.

Les enfants savent d'instinct ce que nous avons oublié: que l'eau peut être amusante et doit l'être, et que le plaisir d'éclabousser est aussi important pour eux que la capacité de nager.

Riez

Les enfants sont des artisans de gaieté. Avec leurs corps miniatures, ils rient et courent et roulent, ils rebondissent et se déplacent dans tous les sens. Ils s'agitent quand vous les prenez, et ils sont si débordants d'énergie que vous les remarquez immédiatement quand ils entrent dans une pièce. Ils aiment toucher à tout et goûter à tout. Et ils peuvent vous regarder dans les yeux avec une honnêteté si charmante que pendant une seconde vous doutez de ce qu'il faut faire. Il y a tant de choses amusantes. Laver ces petits doigts collants et ces petits mentons délicats peut faire sourire n'importe quel rabat-joie.

La vie est pleine de choses ridicules, et les enfants ont le don de s'en apercevoir. Annie, à l'âge de quatre ans, était la plus maligne des petites filles. Un adulte lui demanda un jour: «Tu as un petit ami?» Elle le regarda, courut vers sa mère, se mit à rire et dit: «C'est une drôle de question.» Et puis elle se remit à rire. Sa mère s'est mise à rire aussi, parce que c'était vraiment une question idiote.

Le rire commence par un murmure et peut se transformer en une énorme explosion. Il a une fonction thérapeutique, relaxante et calmante. Avec un petit rire, vous avez le loisir de savourer l'absurde. Les enfants rient facilement, et vous n'avez pas besoin d'être comédien pour les amuser. Les petits enfants, particulièrement, rient d'à peu près tout — il suffit de leur en donner le prétexte. Une mimique idiote ou un commentaire absurde peut provoquer des éclats de joie, surtout s'ils viennent de vous.

Sandra amenait un jour un groupe d'enfants de troisième année au parc dans sa camionnette. En chemin, les enfants riaient et saluaient les passants de la main. Les grincheux ignoraient les enfants, mais certaines personnes souriaient, donnaient des coups de klaxon, et envoyaient aussi la main; les enfants riaient de plus belle. Si un enfant vous envoie la main, saluez-le à votre tour; c'est un moyen facile de répandre du bonheur autour de vous.

Ne réprimez jamais les fous rires. S'il vous semble que vous ne vous êtes pas senti frivole depuis longtemps, essayez de parler charabia ou de chanter une chanson idiote pour casser la glace; la réaction que vous provoquerez chez votre enfant vous stimulera. Et si vous avez vraiment oublié comment rire, invitez un groupe de filles de treize ans à venir prendre une collation l'après-midi. Vous trouverez infailliblement le chemin de l'hilarité.

N'exagérez pas l'importance du désordre

Comment se fait-il que, quand les enfants commencent à marcher, dès que vous avez le dos tourné, ils se dirigent directement vers la salle de bain et émettent des sons de ravissement en répandant l'eau partout. Ils rient de bon coeur en répandant l'eau sur le sol et les murs, apparemment déterminés à imbiber complètement le rouleau de papier de toilette et à mouiller toute la pièce avant d'être pris sur le fait. Ils agitent allègrement leurs petits bras et leurs petites jambes en vous voyant paniquer. Vous êtes convaincu qu'ils vont attraper une maladie ou une infection exotique quelconque, ce qui ne se produit évidemment jamais.

Cet exemple nous rappelle que le bonheur de nos enfants est plus important qu'une maison immaculée. Un jour que je venais juste de nettoyer le plancher de la cuisine, Manda est entrée en courant, les chaussures pleines de boue, en criant: «Maman, maman, viens voir le petit chat.» J'ai mis ma vadrouille de côté, et je suis allée voir le chaton. Manda m'a regardée et m'a souri, et je me moquais bien de la boue sur le plancher.

Bien qu'il soit vrai que je préfère que ma maison soit propre, j'ai appris avec les années que les dégâts n'ont pas tellement d'importance — ce qui compte c'est la façon dont on les aborde. La chambre de Manda était un tel fouillis que je disais parfois que c'était une vraie porcherie. En désespoir de cause, j'ai imposé une règle: elle pouvait laisser sa chambre dans l'état qu'elle voulait, à la condition qu'il y ait un couloir d'accès libre vers son lit et que la porte reste fermée. Nous appelions son style de décoration le «désordre créatif», mais sa chambre continuait de me déranger malgré la porte fermée. Alors j'ai commencé à dire: «Cela me ferait réellement plaisir si tu pensais à nettoyer ta chambre», ou «J'ai très hâte au jour où tu vas nettoyer ta chambre». Eh bien, j'ai été patiente, et treize ans plus tard elle a nettoyé sa chambre; maintenant, si vous passiez nous rendre visite, vous verriez qu'elle a la chambre la plus propre de la maison. La morale de cette histoire: le désordre des enfants n'est pas nécessairement une caractéristique permanente.

Utilisez votre énergie pour créer un foyer où des choses se passent. Un foyer confortable et habité est un endroit plus heureux pour les familles actives. Vos amis se sentiront détendus quand ils viendront vous visiter s'ils savent que vous ne vous inquiétez pas trop de l'apparence de la maison. Pour ne pas exagérer l'importance du désordre, rappelez-vous qu'un de ces jours, les enfants vont partir, et que vous aurez la maison pour vous seul; vous soupirerez peut-être alors avec regret à la pensée de ces serviettes mouillées sur le plancher de la salle de bain.

Profitez des repas en famille

e rituel du repas a été à travers les âges un symbole des liens familiaux et sociaux. De nos jours, il semble devenu un événement rare, les repas étant plus généralement pris à la course. Comme les parents travaillent souvent tard et que les enfants ont beaucoup d'activités à l'extérieur, les repas en famille ont été relégués aux oubliettes. Mais quand les horaires le permettent, les repas en famille peuvent être un moment heureux, l'occasion idéale de parler, écouter, partager — ne serait-ce que devant une pizza.

Essayez de réunir toute la famille à intervalles réguliers pour partager un repas, même si ce n'est qu'une fois par semaine. Prenez un rendez-vous avec les autres membres de la famille, et assurez-vous qu'il soit respecté. Préparez tour à tour le plat préféré de chacun des enfants et celui de papa et maman, prévoyez toujours un petit dessert spécial et pourquoi pas ensuite une soirée film-et-maïs-soufflé. Une fois que l'habitude de la soirée en famille est établie, vous vous apercevrez peut-être que cela devient le point saillant de la semaine pour tout le monde!

J'ai connu une famille qui se réunissait souvent autour du piano pour chanter avant le souper. Parfois ils chantaient même jusqu'au dessert. Les repas avec eux étaient de véritables événements, quelque peu inhabituels, mais tout à fait inoubliables.

Même si vos repas n'ont pas exactement cet air de fête, évitez au moins les tensions. Les repas ne devraient pas être l'occasion de confrontations et de sermons sur les bonnes manières — la colère et la peur sont très mauvais pour la digestion. L'intimité et la communication entre les membres de la famille sont beaucoup plus importantes que l'étiquette. Réservez les discussions sérieuses pour un moment et un lieu plus appropriés, et ne profitez jamais de l'occasion pour réprimander ou gronder. Faites de l'heure du repas un moment d'échange et de rapprochement, un temps pour se retrouver et garder le contact.

Faites de la popote en famille une fois par mois: proposez à chacun de préparer un plat et d'inviter un ami. Ou faites la connaissance de vos voisins en partageant quelques repas avec eux. Nos voisins, les Hansen, ont un tel talent pour nous inclure à leur table sans formalités que nous ne sommes jamais longtemps sans aller voir ce qui mijote chez eux. Tout le monde peut faire sa part, les jeunes enfants aussi — même un enfant de trois ans peut mettre la table. Et tout le monde peut contribuer au nettoyage; il n'y a aucune raison que les adultes, surtout les femmes, fassent tout le travail. Michel transforme toujours le nettoyage de la cuisine en partie de plaisir. Il a appris à le faire en grandissant au sein d'une famille nombreuse composée de garçons, et dans laquelle chacun devait laver son propre couvert et une casserole avant de pouvoir se retirer. C'était aussi naturel que de se brosser les dents chaque matin, et maintenant ses enfants font la même chose.

Je connais une famille qui a réglé le problème de qui-va-faire-la-cuisine en prenant des repas simples les jours de semaine. Ils peuvent servir du riz et des légumes dans de jolis bols et manger avec des baguettes, ou préparer des pommes de terre au four avec des garnitures variées. Quel que soit le menu, ils le préparent avec amour.

Les repas en famille doivent fournir de la nourriture pour le corps et pour l'âme. Mettez des chandelles ou des fleurs sur la table, servez les aliments avec de la reconnaissance dans le coeur, et vous aurez assurément un repas divin.

Vantez-les

Les enfants se nourrissent des louanges et de la reconnaissance des personnes qu'ils aiment, et ceux qui grandissent avec la certitude qu'ils sont valorisés et estimés sont plus réceptifs à l'amour; ils se sentent bien quand ils reçoivent des réactions positives, et ils peuvent donner et recevoir de l'affection naturellement et facilement. Certains enfants grandissent sans jamais entendre de mots d'amour sincères de la part de leurs parents. Ils sont méfiants quand on leur fait des compliments, et mal à l'aise quand on reconnaît positivement leurs mérites; ils manquent d'estime pour eux-mêmes. Les enfants qui sont habitués à vivre dans une atmosphère négative ont de la difficulté à accepter la moindre louange; ils deviennent angoissés et nerveux, comme s'ils étaient incapables de s'ouvrir à l'amour.

Un enfant a besoin de savoir que vous êtes heureux d'être son père ou sa mère. Clara m'a dit un jour: «Ma mère m'aime tellement, elle n'arrête pas de me vanter.» Dites à vos enfants combien vous les aimez, mais dites-leur aussi à quel point vous êtes heureux qu'ils fassent partie de votre vie, en utilisant un langage qu'ils comprennent: «Toi et ta petite soeur et papa, vous êtes mes préférés.» «Tu es mon petit garçon adoré!» «Personne ne peut prendre ta place dans mon coeur.» Si vous ne leur faites entendre que vos plaintes, ils se sentiront confus et se demanderont si en fait vous êtes content d'être parent.

Certains parents ne vantent leurs enfants qu'en leur absence, parce qu'ils ne veulent pas qu'ils «s'enflent la tête» ou qu'ils deviennent «vaniteux». Mais les gens vaniteux essaient seulement de surcompenser pour leurs sentiments d'insuffisance. Je vous recommande de faire directement à vos enfants des compliments honnêtes, ou de faire leur éloge devant eux. N'ayez pas peur que «ça leur monte à la tête»; ils semblent capables de faire la part des choses, et je n'ai jamais entendu parler d'aucun enfant qui aurait été «gâté» par les éloges affectueux de ses parents. J'ai un jour montré à un ami une aquarelle de Manda que j'avais fait laminer. Il lui dit: «C'est magnifique, Manda. Tu es une véritable artiste.» «Non», répondit-elle, «je ne suis qu'une stupide peintre.»

Les enfants ont particulièrement besoin de savoir que vous êtes fier d'eux quand ils subissent un échec. «Je te félicite d'avoir tenu bon», disait Sylvain à Renaud, qui venait d'arriver dernier à sa première course sur trente-deux mètres. Dites-leur que vous êtes fier de leur effort: «Tu as eu beaucoup de courage; je suis fier de toi, parce que tu as fait des efforts.» Assurez-vous de faire la distinction entre subir un échec dans une tâche précise et être bon à rien: «Je sais que tu es découragé, mais je suis *tellement* fier que tu aies fait de ton mieux!» Même si le récital se termine par un vacarme retentissant, l'enfant de huit ans découragé mérite un banana split pour avoir joué la pièce jusqu'au bout *et* pour tous les après-midi passés à pratiquer.

Quand les Boileau ont amené leurs deux enfants visiter des parents éloignés pour la première fois, ces derniers ont remarqué combien les enfants étaient polis. Robert a dit devant les enfants: «Nous pensons que nos enfants sont de très bonnes personnes.» En rentrant dans la voiture, il leur a dit: «Je vous aime vraiment beaucoup tous les deux.» Tout comme les plantes absorbent l'eau, vos enfants ont besoin de mots affectueux de votre part; ils leur permettent de s'épanouir.

Organisez des fêtes de famille

Les fêtes de famille, les célébrations et les rituels sont des occasions de transformer un jour ordinaire en un événement mémorable. Les célébrations solidifient les liens entre les gens que vous aimez, renforcent les choses que vous avez en commun, et établissent des traditions qui vont se perpétuer, même quand les enfants sont grands. Cela n'a aucune importance que votre famille se compose de deux personnes, de dix ou de quatre-vingts, les fêtes de famille vont vous rapprocher. Les rituels qui soulignent même les événements en apparence insignifiants — Annabelle s'est fait enlever son appareil dentaire, Olivier a réussi son examen de mathématiques — apportent joie et satisfaction dans la maison quand ils sont accomplis dans l'allégresse.

Vous pouvez organiser autant de célébrations que vous voulez. Elles peuvent être simples ou raffinées, planifiées ou spontanées. Elles peuvent être intégrées à la vie de tous les jours ou se produire une fois par année. Bernard et son père ne parlent pas beaucoup, mais chaque été ils vont plusieurs fois à la pêche ensemble - une tradition tout à fait spéciale à laquelle ils ne renonceraient pas pour tout l'or du monde. Les Cartier décrètent une «soirée crème glacée» chaque fois qu'un des enfants perd une dent.

Vous pouvez vous réunir pour célébrer les anniversaires, vous rencontrer à l'improviste, ou vous retrouver à l'occasion des événements importants de la vie. Les William ont des tas de petits rituels de famille: le père de Sophie, Louis, se rend tous les matins à la boulangerie pour lui acheter un croissant frais. Chaque saison, ils assistent à des parties de hockey professionnel avec son frère aîné et sa femme et, tous les soirs, Louis dit une prière avec elle. Sophie ajoute: «Il est si encourageant, je me demande ce que je ferais sans lui.»

Quelles sont vos traditions familiales? Quels rituels et quelles célébrations vous apportent de la joie? Serait-il utile d'en ajouter, ou de les rafraîchir? Chloé, sa soeur Alice et leur mère ont un nouveau rituel: comme elles vivent dans des villes différentes, elles se parlent une fois par mois par appel conférence. La famille Hétu a décidé de modifier son traditionnel repas de Pâques; les parents et leurs deux enfants servent bénévolement des repas dans un refuge pour personnes en difficulté. Vous pouvez aussi changer votre façon de célébrer les anniversaires ou les fêtes. Une année, pour Noël, Manda et moi avons couvert un rameau blanc de lumières plutôt que de décorer un sapin. Ce fut le début de nos efforts pour faire de Noël une fête moins commerciale.

Une fête de famille est centrée sur la joie d'être des âmes soeurs, de se connaître, et de partager sa vie. Faire une fête de famille ne requiert que le désir de vivre des rencontres chargées d'interactions honnêtes et cordiales.

Se réunir par obligation ne constitue qu'une routine ennuyeuse; mais se rencontrer pour se fêter les uns les autres est agréable, constructif et profondément satisfaisant. Un événement familial célébré avec coeur, reconnaissance et estime mutuelle est véritablement une occasion extraordinaire.

Remerciez-les pour les petites choses

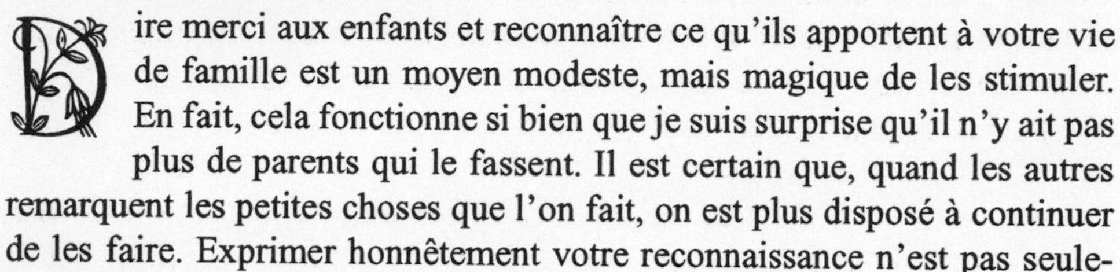

Dire merci aux enfants et reconnaître ce qu'ils apportent à votre vie de famille est un moyen modeste, mais magique de les stimuler. En fait, cela fonctionne si bien que je suis surprise qu'il n'y ait pas plus de parents qui le fassent. Il est certain que, quand les autres remarquent les petites choses que l'on fait, on est plus disposé à continuer de les faire. Exprimer honnêtement votre reconnaissance n'est pas seulement en soi une manifestation d'affabilité, c'est une façon de l'inculquer à votre enfant.

Remerciez cordialement votre enfant pour avoir apporté le courrier ou avoir répondu au téléphone. Lise dit à sa petite fille de quatre ans: «Je te remercie d'avoir accroché ta serviette; cela m'aide vraiment beaucoup.» Laurence était radieuse, et sa mère n'a jamais précisé que la serviette était de travers. Héloïse, âgée de cinq ans, regardait son père qui lavait la voiture; elle a pris un chiffon et a commencé à le suivre et à laver et frotter. Il a pris le parti de l'encourager: «Merci, Héloïse, c'est gentil à toi de m'aider!»

Même si le geste semble insignifiant, prenez la peine de remercier votre enfant pour sa participation — avoir mis son linge sale dans le panier, avoir ramassé ses jouets, ou ne pas vous avoir interrompu pendant que vous étiez au téléphone. Un enfant qui doit faire constamment face aux critiques se sentira incompétent et peu important en vieillissant; il commencera à trouver à redire contre les autres et à se faire des reproches. Par contre, un enfant dont les efforts sont continuellement reconnus développera une saine confiance en lui et sera conscient de ses capacités. Même s'il reste des bosses dans le lit, reconnaissez qu'il a été fait.

Rappelez-vous que les récompenses périodiques sont très efficaces pour entretenir la motivation d'un enfant. Les enfants, comme tout le monde, réagissent à la reconnaissance; alors même si votre enfant reçoit une allocation pour les corvées dont il s'acquitte, c'est une bonne idée d'ajouter une prime à l'occasion, que ce soit une somme d'argent supplémentaire ou un cadeau spécial. Les éloges et la reconnaissance entretiennent les relations amicales et stimulent votre enfant pour qu'il continue à participer, sachant que ses efforts sont remarqués et reconnus.

Pour la famille Lopez, le samedi matin est le temps des corvées, qui sont suivies d'un repas de fast-food au choix des enfants. Les parents me disaient: «Nous travaillons en équipe, et ensuite nous faisons la fête ensemble à l'heure du dîner.» Penser aux mercis encouragera votre enfant à mettre volontairement la main à la pâte en ce qui a trait aux tâches de la maison. Dans un climat comme celui-là, tout le monde va siffler en travaillant.

L'esprit

Quand vous laissez l'amour d'un enfant
transformer votre coeur,
vous êtes régénéré.

Concentrez-vous sur la joie qu'ils apportent

C'est dur d'être parent, mais les enfants sont une joie. Quand vous aimez un enfant, vous vous transformez. Vous avez un nouveau centre d'attention. Quand vous devenez une mère ou un père, vous avez un nouveau rôle et une nouvelle responsabilité. Heureusement, élever des enfants, c'est une rue à double sens: vous marchez ensemble, et tandis que vous les prenez par la main, ils vous prennent par le coeur. Vous leur donnez, et ils vous donnent. Et bien qu'être parent soit exigeant, intriguant, frustrant, effrayant et troublant, les enfants sont joyeux, amusants, édifiants et réconfortants. Nous leur montrons les voies du monde, et ils nous montrent les voies du coeur. Nous essayons de les aimer sans condition, puis nous oublions et nous formulons des exigences. Nous voulons qu'ils réussissent, nous les poussons et nous avons des attentes, mais, malgré tout, nos enfants nous pardonnent et nous aiment de façon inconditionnelle. Et dans cette indulgence innocente, dans la nature de l'enfant qui pardonne, on peut voir une preuve de la grâce de Dieu.

Vous pouvez choisir de vous centrer sur la difficulté ou sur la joie, mais quand vous vous concentrez sur les moments de pur ravissement, les petits moments qui réchauffent le coeur dans la vie avec un enfant, vous réalisez que vous avez choisi une voie magnifique. Mettre un enfant au monde c'est de la biologie, mais aimer un enfant c'est divin. Dans un certain sens, avec un enfant dans votre vie, vous êtes en association avec le Tout-Puissant, parce qu'on vous a confié la garde d'une âme.

Certains croient que les enfants choisissent leurs parents; bien que j'ignore si c'est le cas, je trouve tout de même intriguant de penser qu'une âme innocente pourrait vous choisir pour père ou mère. Quand vous envisagez la chose de cette façon, vous réalisez qu'être parent est une bénédiction. Vous et votre enfant sculptez ensemble une vie; en aidant votre enfant à devenir un merveilleux être humain, vous faites à l'humanité un cadeau d'une immense valeur, et nous en sommes tous enrichis.

Votre rôle comme parent est significatif et il a une grande portée, parce que votre enfant portera votre parfum pendant des années; tout comme votre vie en a touché plusieurs, il en sera de même pour la sienne. Jouez votre rôle de parent dans la joie, et quand vous vous sentez accablé, souvenez-vous que l'amour est la fondation sur laquelle votre enfant s'appuiera pour devenir un adulte sain - nous sommes tous conscients que les générations à venir auront besoin de gens sains, remplis d'amour et matures pour prendre les choses en main.

Les enfants sont des cadeaux de Dieu. Aimez-les, réjouissez-vous qu'ils fassent partie de votre vie, et reconnaissez l'honneur et le miracle qui vous ont été accordés. Si vous connaissez un enfant, vous êtes béni. Ce sont des êtres de lumière, radieux et tendres. Ils peuvent coûter cher, mais si vous nourrissez l'âme d'un enfant, vous en retirerez des richesses célestes.

Croyez aux possibilités

n nouveau-né vient au monde débordant d'énergie, de pur potentiel — c'est un esprit nouveau, tout frais. Un si petit corps, un si grand miracle. Régine, mère de deux enfants, me disait: «On ne peut pas façonner les enfants. Je croyais qu'ils étaient des feuilles de papier blanc. Mon Dieu, quel choc j'ai eu.» Quand vous reconnaissez que vos enfants ont leur propre destin et leur propre nature divine, quand vous espérez qu'il en soit ainsi, d'infinies possibilités s'offrent à vous sur le plan du réconfort spirituel.

En tant que parents, nous avons tendance à penser que notre rôle est de guider nos enfants vers la réussite matérielle, et, bien que cela soit partiellement vrai, le portrait n'est pas complet. Vos enfants sont des êtres spirituels; vous devez soigner leur âme aussi bien que leur corps. Les parents qui mettent l'accent sur le succès, la renommée, les possessions et les plaisirs matériels rendent un très mauvais service à leurs enfants. J'ai rencontré Luc à l'urgence d'un hôpital après qu'il eut tenté de se suicider avec des médicaments et de l'alcool. C'était un bon étudiant, il avait été admis au collège, et il ne manquait de rien sur le plan matériel; mais il était tout de même malheureux. Cette histoire n'a rien d'exceptionnel, parce que nos enfants sont bombardés quotidiennement de tentations matérielles qui usent lentement leur âme.

Croire aux possibilités signifie croire en la nature divine de votre enfant, et voir la nature divine en vous-même. Les parents peuvent montrer le chemin vers une plénitude plus profonde de bien des façons, dont la plus importante est l'exemple qu'ils donnent. Vivez plus simplement, traitez tout être vivant avec compassion, apprenez à vivre le moment présent et prenez le temps de profiter des choses de la vie qui comptent vraiment. Thomas amène les membres de sa famille en retraite dans le désert, pour leur permettre de sentir les liens entre la terre et l'univers - dormir à la belle étoile nous régénère tous de plusieurs façons qui sont difficiles à décrire. Nicolas et Sonia font de la méditation. Les Hébert ont un petit coin de terre dans un jardin communautaire au coeur de leur ville. Les Wong font partie d'une chorale, les Jutras appartiennent à un groupe de prière, et Manda et moi disposons tous les jours une offrande de fleurs à notre porte d'entrée.

Un élément vital de notre quête spirituelle est de faire face aux épreuves, aux moments difficiles, à la confusion, à l'angoisse. Les enfants aussi ont le cafard et ressentent les désirs de leur âme. En tant que parents, nous nous interposons parfois trop vite pour régler leurs problèmes. Il peut être plus sage d'être avec eux en esprit et de laisser les réponses se révéler d'elles-mêmes. En croyant aux possibilités, nous savons, quand viennent les temps durs, que nous pouvons les transcender et survivre. Nous savons que chaque combat s'accompagne d'une leçon et d'une nouvelle possibilité.

Soyez ouvert au miracle de la transformation

Les enfants touchent votre coeur de toutes sortes de façons que vous ne pouvez pas prévoir; ils vous mettent sens dessus dessous et vous présentent une nouvelle dimension de votre être spirituel. Ils apportent dans votre vie des aventures nouvelles, des gens nouveaux, des idées nouvelles, des sentiments nouveaux, des joies et des peines. Ils vous entraîneront à l'intérieur de votre âme dans des lieux que vous ne connaissiez sans doute pas avant. Ce peut être un voyage instructif et heureux si vous ouvrez votre coeur et demeurez vulnérable, mais si votre coeur est fermé et que votre esprit est rigide, vous livrerez beaucoup de batailles et aurez fort peu de succès. Si vous demeurez ouvert à tous les merveilleux miracles de la transformation, la vie avec votre enfant deviendra profondément satisfaisante.

Selon mon expérience, la plupart des parents atteignent l'âge adulte avec leurs propres cicatrices émotionnelles. Le fait de rester ouvert à vos enfants vous donnera l'occasion de guérir les blessures de votre propre enfance. Voici un exemple: quand la fille de Cynthia était âgée de deux ans, Cynthia a péniblement pris conscience que ses parents à elle ne passaient jamais de temps avec elle le soir. Soir après soir ils l'envoyaient au lit toute seule, effrayée et en larmes. Un soir qu'elle lisait une histoire à sa fille avant qu'elle ne s'endorme, elle s'est rappelé la solitude qu'elle ressentait le soir et le désir qu'elle éprouvait d'être réconfortée par sa mère. Elle a compris pour la première fois pourquoi elle avait peur dans le noir. En acceptant de s'ouvrir à son enfant et à son propre coeur blessé, elle a réussi à guérir ce souvenir qu'elle réprimait depuis si longtemps. Cette découverte lui a permis de transformer sa peur en compréhension.

Restez ouvert, écoutez attentivement, et vous apprendrez aussi des choses sur vous-même. Vous arriverez à vous connaître assez bien pour être capable de faire des choix judicieux pour le bien-être de votre famille. Être ouvert ne signifie pas vous laisser aller à la dérive. Être ouvert signifie considérer toutes les options avant de décider. Parlez avec les autres parents, et voyez comment ils se débrouillent, mais ne suivez jamais leurs conseils aveuglément — fiez-vous à votre intuition et faites-vous confiance pour savoir ce qui est bon pour votre enfant. Être ouvert à la transformation signifie que vous recherchez consciencieusement des réponses dans votre propre coeur. Quand vous laissez l'amour d'un enfant vous transformer, vous vous enrichissez, vous vous régénérez.

Rappelez-vous qu'ils ne sont pas sur terre depuis longtemps

arfois nous oublions que les enfants viennent juste d'arriver sur la terre, et nous sommes beaucoup trop exigeants, beaucoup trop tôt. Nous nous impatientons, nous les poussons à tout apprendre, à tout savoir, à «se comporter selon leur âge», pour ce que cela peut vouloir dire.

Même s'il est vrai que les enfants apprennent rapidement les choses de la vie par l'observation, il n'est pas réaliste de s'attendre à ce qu'ils se sentent toujours en plein forme et qu'ils fassent tout comme il faut. Les trois enfants de Claude et Cécile étaient âgés de deux, quatre et six ans quand ils ont réalisé qu'ils étaient trop exigeants envers l'aînée. Un soir qu'ils l'ont appelée leur «grande fille», elle leur a répondu: «J'aimerais mieux être votre bébé.»

Quand vous réalisez qu'à peu près tout ce que vous dites comporte une défense, arrêtez-vous pour vous demander: «Est-ce que j'ai expliqué ce que je voulais effectivement? Est-ce que je lui ai montré comment fermer la porte sans bruit? Est-ce que je lui expliqué comment attirer mon attention quand je suis occupé?» Expliquer comment faire les choses donne de bien meilleurs résultats que les défenses répétées. Essayez cette formule d'enseignement à trois temps: répétez l'information trois fois, de trois façons différentes.

Quand Marilyne s'est entendue crier à ses deux fils: «Ne soyez pas si brusques avec les chatons», elle a pris conscience qu'elle ne leur avait jamais montré comment tenir les petits chats correctement. Elle a alors pris le temps de le faire: «Prenez les chats doucement, avec les deux mains. Déposez-les délicatement sur le sol. Flattez-les dans ce sens.» Elle les a laissés s'exercer, puis leur a montré encore trois fois, et en très peu de temps ils ont réussi à le faire.

Jean-Claude était très frustré que son fils Clément ne veuille pas se servir du petit pot. Clément avait fréquemment des accidents et Jean-Claude lui faisait des menaces, ce qui ne faisait qu'empirer les choses. Un jour, la mère de Jean-Claude, qui était témoin d'une querelle à ce sujet, lui dit: «J'ai eu le même problème avec toi.» Tout de suite, Jean-Claude comprit qu'il exerçait sur son propre fils la pression qu'il avait dû subir quand il était enfant. Jean-Claude changea immédiatement son approche, se rappelant que Clément n'avait commencé son apprentissage que depuis cinq petites semaines.

Donnez à vos enfants le temps qu'il faut pour mettre en pratique ce qu'ils apprennent, peu importe de quoi il s'agit, et rappelez-vous qu'après tout ils ne sont pas ici depuis bien longtemps.

Émerveillez-vous de les voir grandir

'est-ce pas incroyable, la vitesse à laquelle les enfants grandissent? Pas plus tard qu'hier ils étaient encore aux couches, déjà ils sont en première année, et dans une minute ce seront des adolescents. Ils sont si habiles et indépendants qu'il est facile d'oublier qu'ils n'ont pas tout maîtrisé.

Par exemple, plusieurs parents supposent que leurs adolescents ont confiance en eux et comprennent les étapes à suivre pour obtenir un emploi, alors qu'en fait le processus rend la plupart des adolescents très nerveux. Bien qu'ils ne s'empressent pas de vous le dire, il est fort possible qu'ils aient besoin de vos conseils. Alors, plutôt que de dire: «Ne sois pas si paresseux, trouve-toi du travail», vous pourriez essayer de leur donner des idées et de partager quelques-unes de vos expériences. Laissez-leur ensuite le temps d'y réfléchir. La réflexion est une sorte d'exercice mental, une première étape importante avant de passer à l'action.

Xavier a donné un bon coup de main à son fils Gilles en lui suggérant de recueillir des recommandations écrites de ses professeurs pour les joindre à ses demandes d'emploi. Bien que Gilles ne se soit pas exécuté sur-le-champ (les adolescents le font rarement), Xavier a répété sa suggestion à quelques reprises. De toute évidence, Gilles y a réfléchi, parce qu'il a obtenu ses recommandations et s'est trouvé nettement avantagé quand il a eu le courage de faire ses demandes d'emploi.

En grandissant, les enfants vont souvent refuser votre aide, même s'ils en ont besoin. Il n'y a rien de mal à cela, c'est simplement un autre moyen d'apprendre. Votre plus grand défi en tant que parent sera d'éviter de dire: «Je te l'avais bien dit.» Jonathan préparait un jour un repas pour ses amis, et sa mère voulait seulement se rendre utile en lui disant de ne pas faire cuire le poisson trop longtemps. «Je sais le faire», lui répondit-il. Il n'en a plus jamais reparlé, mais la fois où il a de nouveau fait la cuisine pour ses amis, il lui a demandé: «Combien de temps est-ce qu'il faut faire cuire les pâtes?» N'est-ce pas merveilleux comme ils vieillissent?

Quand vous avez des doutes sur leurs connaissances, mettez-vous à leur place. Nous avons mis des années à apprendre ce qui fonctionne et ce qui ne fonctionne pas, et malgré tout il nous arrive encore de trébucher. Soyez patient, guidez-les gentiment et laissez-les apprendre par leurs propres erreurs. Émerveillez-vous de les voir grandir. Rappelez-vous qu'ils cherchent leur voie.

Laissez-les aider

ès leur plus jeune âge, les enfants veulent aider et participer activement à la vie de famille. Ils veulent apporter leur contribution, ils veulent se sentir à leur place. Votre volonté de les laisser aider comme ils le souhaitent leur apprendra à exercer leur jugement, à être responsables d'eux-mêmes, et à faire des choix opportuns.

Nous espérons tous que nos enfants deviendront un jour des adultes responsables, capables de satisfaire leurs propres besoins. Nous voulons qu'ils aient une vie heureuse, indépendante et satisfaisante. Comment faire pour y parvenir? Certains parents croient que, pour inculquer à leurs enfants le sens des responsabilités, ils doivent avant tout exiger un haut degré de participation à la maison et à l'école. Ils pensent que si les enfants obtiennent de bonnes notes, gardent leur chambre en ordre et s'acquittent docilement de leurs tâches, cela démontre qu'ils sont responsables, et qu'au contraire les chambres en désordre, les mauvaises notes et les attitudes boudeuses indiquent que l'enfant n'apprend pas à être responsable. Ce n'est pas forcément le cas.

Pour acquérir le sens des responsabilités, un enfant doit d'abord avoir l'occasion d'exercer un contrôle sur sa vie. C'est le seul moyen pour qu'il apprenne à faire des choix et à vivre avec les conséquences de ses choix.

Quand un parent dit à un enfant quoi faire sans lui permettre de donner son opinion, l'enfant devient de plus en plus dépendant des autres et se sent moins capable de prendre des décisions pour lui-même.

Demandez à vos enfants ce qu'ils aimeraient faire pour participer à l'entretien de la maison, et indiquez-leur ce qui serait utile. Suggérez quelques projets et laissez-les choisir. Quand sa mère lui a demandé quelle tâche il voulait exécuter dans la maison, Benjamin, âgé de huit ans, a répondu qu'il ne voulait pas faire la même chose toutes les semaines, mais qu'il voulait choisir chaque lundi. Après avoir fait son choix pendant plusieurs semaines, il a conclu que cela entraînait trop de pression et a choisi une tâche permanente. La leçon la plus importante qu'il a apprise ne résidait pas dans l'exécution du travail, mais dans sa participation active au processus de décision.

Confiez-leur des tâches simples quand ils sont jeunes. À l'âge de trois ans, Hélène aidait à arroser les plantes et Clémentine nourrissait les chats. À quatre ans, David mettait les ustensiles propres dans le tiroir, et Suzie, à cinq ans, préférait ramasser le linge sale de toute la famille pour le mettre au lavage. À mesure qu'ils grandissent, vous pouvez leur confier des tâches plus importantes, mais n'exigez pas la perfection, ni l'obéissance aveugle. À onze ans, Richard lavait parfois lui-même ses vêtements. Restez flexible, et vous créerez un environnement où vos enfants feront de bon gré leur part et apprendront des valeurs solides par la même occasion.

Chérissez l'innocence

Avez-vous déjà tenu un bébé endormi dans vos bras? Senti la petite main d'un bébé autour d'un de vos doigts? Entendu son gazouilli de contentement? Avez-vous déjà changé la couche d'un bébé qui se tortille et qui rit? Un bébé vous a-t-il déjà tapoté la joue ou tiré sur le nez? Si oui, vous êtes choyé, parce que vous avez été touché par l'innocence.

Les enfants grandissent tellement vite. Très vite ils marchent, font tomber les livres des étagères et sautent sur votre lit. Et puis tout d'un coup, ils attrapent des moustiques pour les mettre dans un pot et ils livrent les journaux. Les découvertes nouvelles les amusent et les étonnent.

Mais il ne s'agit pas que des bébés. Si vous avez déjà entendu un choeur d'enfants de première année, vous avez dû sentir fondre votre coeur. Et vous avez probablement déjà entendu un enfant faire une affirmation si directe et si franche que vous en avez été estomaqué. Une telle pureté vous prend par surprise, et pendant un moment vous sentez une présence divine. C'est sans doute pour ça que les parents ont si fière allure le jour où leur enfant reçoit son diplôme, ou qu'ils pleurent le jour de leur mariage. Et c'est peut-être aussi pourquoi l'odeur de la poudre pour bébé fait jaillir à votre mémoire des souvenirs impossibles à exprimer avec des mots.

Un passage de la bible se lit: «Et un petit enfant leur montrera la voie», ce qui suggère que l'innocence bénie peut indiquer le chemin. Nous connaissons tous des adultes qui semblent toujours s'attendre au pire; ils sont cyniques, sarcastiques et méfiants envers les autres. Ils ne font confiance à personne et ne pensent qu'à eux-mêmes. Eux aussi ont déjà été des bébés innocents, mais ils ont perdu leur innocence sur le chemin de la maturité. Nos enfants sont exposés à trop de choses trop tôt; nous les poussons à vieillir et nous les privons de leur enfance. Notre société accorde une si grande place au prestige et à l'apparence, qu'on dirait qu'elle est tout entière contre les enfants et contre l'innocence. Nous avons désespérément besoin de changer de perspective, et nous pouvons commencer par le faire dans nos propres foyers.

Pour moi, les véritables adultes ne sont pas les personnes débordantes de «maturité», mais celles qui ont conservé leur innocence dans leur coeur. Ils ont des étincelles dans les yeux et la démarche énergique. Le simple contact de ces personnes vous remonte le moral; vous vous sentez heureux et stimulé. Grand-papa Simon était comme ça. Les enfants de tous âges s'accrochaient à lui. Il distribuait des bonbons, et il en avait toujours plein les poches, et il laissait tout le monde caresser ses lapins. Il faisait pousser des framboises, et il vous faisait manger des rôties avec de la confiture. Il savait quand parler, et quand se taire. Il vous racontait des histoires qui vous faisaient vous sentir mieux, même quand vous ne vous sentiez pas mal.

Respectez l'innocence mature chez les adultes que vous connaissez, et, quand vous le pouvez, regardez dans les yeux d'un enfant pour apercevoir la leur.

Soyez à l'écoute du langage spirituel

es enfants sont des êtres spirituels innés, et si vous êtes très attentif, ils peuvent vous parler des énergies subtiles d'une autre dimension; que vous y croyiez ou pas, il peut être intriguant d'écouter ce qu'ils ont à dire. L'intuition des enfants est très aiguë, et ils entendent et voient fréquemment des choses qui nous échappent, comme s'ils n'étaient pas encore complètement submergés par la «réalité». À l'âge de cinq ans, Sylvie disait que les gens étaient entourés de nuages de lumière multicolores. À quatre ans, Rosine avait deux compagnons de jeu imaginaires qui la tenaient par la main partout où elle allait. Elle leur donnait des noms étranges, qui étaient en fait, sa mère le découvrit plus tard, de vrais mots anglais. Edmond, à quatre ans et demi, dit à son père: «L'aigle blanc m'a appris à me balancer - il n'y a qu'à regarder un coin du ciel, à envoyer ses pensées vers lui, et on peut se balancer.» À cinq ans, Raphaël dit à sa mère: «Tout le monde a un ange.» Avant d'atteindre l'âge de six ans, les enfants sont en harmonie avec le monde spirituel et avec les choses invisibles et inexprimées, mais en général ils perdent ce contact quand ils commencent à aller à l'école et sont exposés à la pensée traditionnelle et logique. Jusque-là, ils ont la capacité de voir dans nos pensées. Marie, par exemple, mère de trois enfants, pensait un jour à la mort et se demandait quel mot elle pourrait utiliser à la place de *mourir*. Juste à ce moment, sa petite fille Laura entra dans la pièce et lui dit: «Qu'est-ce que tu dirais de *continuer sa route*?» Cela l'a fait sursauter, parce qu'elle n'avait pas prononcé un mot!

Les enfants ont une intuition très développée — ils peuvent sentir l'énergie et les vibrations des autres. Parfois il suffit qu'un enfant voit quelqu'un pour qu'il se mette à pleurer à chaudes larmes; il se déplace pour éviter la personne, et, sans pouvoir expliquer pourquoi, il sent l'énergie qu'elle dégage et ne veut pas s'en approcher. Faites confiance à l'instinct de votre enfant.

Certains enfants connaissent déjà des vérités spirituelles profondes que personne ne leur a jamais apprises. Judith, âgée de quatre ans, disait à son grand-père malade: «Quand tu vas mourir, grand-papa, tu vas juste aller à un autre endroit.» Respecter la nature divine de votre enfant consiste en partie à reconnaître son langage spirituel et à respecter ses perceptions spéciales.

Construisez un voisinage où la famille et les amis sont importants

u fait qu'élever un enfant est un processus si complexe, vous aurez besoin de bien d'autres personnes dans votre vie, y compris des grands-parents, des gardiennes d'enfants, du médecin de famille, des voisins, des professeurs, des entraîneurs, d'amis et de conseillers. Vous pouvez élever un enfant seul, mais c'est tellement plus facile quand vous pouvez bénéficier d'une oreille attentive ou d'un coup de main de la part de personnes qui veulent comme vous ce qu'il y a de mieux pour vos enfants et qui comprennent qu'il faut se serrer les coudes pour créer des voisinages et des communautés où la famille et les amis sont importants. Nous devons tous nous battre de temps en temps, mais quand toute la communauté se tient, c'est non seulement plus facile, mais cela rend nos vies meilleures. Beaucoup de gens reconnaissent que dans un monde où tout va très vite, où tout est axé vers les réalisations et où tout est manipulé par la technologie, la gentillesse, la solidarité, la compréhension et la camaraderie sont un carburant pour l'âme dont nous avons tous besoin.

Les communautés orientées vers la famille et l'amitié valorisent les enfants et mettent l'accent sur la création d'environnements et de services qui assurent l'épanouissement de chaque famille. N'attendez pas que quelqu'un d'autre le fasse; vous devez passer à l'action pour le plus grand bien de vos enfants.

La meilleure façon de commencer, c'est de faire la connaissance de vos voisins. Dans les efforts que j'ai dû faire en tant que parent célibataire, mon cercle de famille, d'amis et de voisins est venu à mon aide de multiples façons. Quand Manda n'en était qu'à faire ses premiers pas, les Levell l'ont nourrie soir après soir quand je devais travailler tard; les Hansen, que je peux toujours appeler en cas de besoin, nous ont ouvert leur porte; les Fisher (la meilleure famille gardienne d'enfants au monde) ont aimé Manda comme si elle était leur propre enfant; et Kathy Jean a fait bien plus que ses devoirs de tante en lui apprenant à conduire une voiture manuelle.

Ensuite, faites la connaissance des amis de vos enfants et de leurs parents, allez rencontrer leurs professeurs, prenez part aux activités communautaires, sachez qui dirige la communauté et qui prend des décisions qui concernent la vie familiale. Ensuite, dites aux autres ce que vous pensez et faites-leur savoir comment vous souhaitez que votre communauté fonctionne. Parlez. Participez. Joignez-vous aux conseils de parents-professeurs, offrez vos services bénévolement à l'école, ou organisez un projet communautaire famille-amitié... vous pouvez faire bouger les choses. Les enfants veulent connaître le monde en dehors de leur propre cour, et ils veulent apporter une contribution. Benoit, à neuf ans, a dit à ses parents:

«Je voudrais aider les sans-abri.» Avec le concours de ses parents, il a organisé une campagne pour ramasser des couvertures pour les gens qui vivent dans la rue.

Aller vers les autres nous aide à mettre nos priorités en perspective et à prendre conscience du confort de notre foyer, que nous prenons trop souvent pour acquis. Quand nous ouvrons notre coeur aux autres, nous montrons à nos enfants que nous partageons la planète avec bien d'autres gens pareils à nous. Quand nous nous tournons les uns vers les autres, nous constatons que nous avons plus de similitudes que de différences. Faire la connaissance des gens de notre quartier rend le voisinage beaucoup plus amical, et c'est une bonne chose pour toutes les familles.

Laissez-les partir le moment venu

On ne commence pas à laisser partir ses enfants quand ils atteignent l'âge de dix-huit ou vingt et un ans, qu'ils mettent leurs affaires dans une valise et déménagent. Le processus commence par toutes sortes de petites manifestations différentes dès l'âge de deux ou trois ans. Bien des parents versent des larmes la première fois que leur enfant part pour l'école, en le saluant de la main à l'arrêt d'autobus. Bien des parents ont eu de la peine en voyant l'entraîneur forcer leur enfant à rester assis au banc des joueurs.

Les occasions de laisser aller votre enfant se poursuivent tout au long de la vie, et c'est presque toujours douloureux. Nous ne voulons pas seulement protéger nos enfants du malheur et des injustices, mais aussi partager avec eux le bonheur et la gloire. Il leur arrive parfois de choisir de partager cela avec d'autres que vous. Béatrice avait confectionné le plus joli costume de clown pour sa petite Magalie, âgée de cinq ans, et elle fut stupéfaite de voir celle-ci insister pour passer l'halloween avec les voisins plutôt qu'avec elle. Les parents de Mathieu, à qui on avait rendu hommage à la télévision locale pour un acte de courage, voulaient amener celui-ci au restaurant. Après l'émission, il leur dit: «Je vous retrouverai plus tard, je sors avec mes amis.»

Laisser aller vos enfants signifie les regarder faire leur chemin dans le monde sans vous. Cela signifie relâcher votre emprise et votre tendance à contrôler. Cela signifie les laisser faire leurs propres erreurs et prendre leurs propres décisions. Cela signifie vous rappeler que vos enfants ne vous appartiennent pas pour toujours, mais sont des cadeaux que vous partagez pour un temps. Certains parents s'accrochent trop fermement; d'autres ne s'intéressent pas assez. Il peut être difficile de trouver l'équilibre, mais si vous les écoutez attentivement, ils vous guideront: «Regarde, maman, j'ai coupé mes cheveux.» «Papa, est-ce que je peux aller au magasin?» «Maman, je vais aller au centre-ville en bicyclette.» «Maman, je vais me faire percer le nez.» «Papa, j'ai décidé de partir faire le tour de l'Europe en stop avec mon copain.»

Chacun de ces événements importants vous pose un nouveau défi. La mesure dans laquelle vous relâchez votre emprise dépend évidemment de l'âge et des circonstances, mais vous devrez néanmoins faire face à ces défis presque tous les jours de la vie de votre enfant. Votre enfant de trois ans veut jouer tout seul dans la cour. Votre enfant de dix ans peut-il passer toute la journée au centre d'achat avec des copains? Assister à la dernière représentation au cinéma? Et passer toute la nuit dehors le soir du bal de graduation? «Maman, tu me prêtes la voiture?»

Jeannine et David voulaient que Marc joue dans la cour, mais ce dernier préférait jouer au parc de l'autre côté de la rue. Ils voulaient qu'il aille au collège le plus près; il est allé au Japon pour un échange d'étudiants, et il y est resté, puis il a épousé une jeune fille originaire de Hollande, où il vit maintenant.

Il va de soi que vous éprouverez une perte à mesure qu'ils affirmeront leur indépendance, mais vous pouvez vous consoler à la pensée que vous les avez assez aimés pour les laisser partir. Karine, qui a trois enfants adultes, m'a dit: «Quand tu sais que finalement tes enfants sont heureux, tu ne te sens jamais seul.»

Laissez-les revenir

uand vos enfants sont jeunes, vous vous occupez activement de diriger leur vie, mais quand ils grandissent et qu'ils quittent finalement la maison, votre rôle consiste à être là s'ils ont besoin de vous. C'est paradoxal, mais quand vous donnez à vos enfants la liberté de faire leur propre chemin dans le monde, de vivre leur vie pleinement, ils sont généralement plus disposés à revenir pour partager leur vie avec vous. Quand ils savent qu'ils peuvent venir et repartir sans se sentir coupables, ils ont plus de plaisir en votre compagnie et veulent savoir comment vous allez. Ils peuvent parfois même vous surprendre et vous demander votre participation.

C'est parce que, même si les enfants veulent la liberté d'explorer le monde à l'extérieur de leur propre famille, ils ont besoin de ressentir une appartenance, ils veulent savoir qu'ils peuvent compter sur la sécurité d'un foyer confortable et d'une famille affectueuse, qui sera fidèle à travers toutes les épreuves, quoi qu'il advienne: «J'ai peur; est-ce que je peux dormir avec toi?» «Je vais avoir le mal du pays, alors je n'irai pas au camp d'été cette année.» «Maman, viens me chercher, je ne veux pas passer la nuit ici.» «Je pourrais peut-être venir dimanche pour faire mon lavage.» «Je peux venir passer l'été à la maison?»

Quand vos enfants feront leur entrée dans le monde, ils seront extrêmement avantagés s'ils savent que vous serez là pour les écouter, les comprendre et leur offrir la sécurité d'un foyer affectueux, où ils pourront recharger leurs batteries et repartir de nouveau.

Même les adultes se sentent réconfortés à la pensée que leurs parents sont là pour eux, qu'ils peuvent se tourner vers eux spontanément pour obtenir un conseil, un prêt, et quoi encore. Et si vos parents ne sont plus en vie ou ne sont plus là pour vous, vous êtes d'autant plus conscient du manque que cela représente pour vous, ce que vous souhaitez à tout prix éviter à vos enfants. Quand vos enfants savent que vous êtes de leur côté, ils se sentent beaucoup plus en sécurité dans le monde, confiants qu'ils peuvent avoir recours à vous au besoin. Faites à vos enfants le cadeau d'un lien à vie en leur faisant savoir que vous serez toujours là quand ils auront besoin d'un foyer, d'une épaule, ou même simplement d'un bon repas chaud. Si vous leur offrez votre appui inconditionnel, si vous leur dites: «Ma maison est votre maison», ils sauront que vous serez toujours heureux qu'ils vous appellent ou qu'ils vous rendent visite, et vous en profiterez tous.

Offrez-leur de la compassion et demandez la leur

Je voudrais vous raconter une histoire sur la compassion. Une mère célibataire que je connais, qui vivait très serrée financièrement, connaissait une semaine très difficile. Elle avait verrouillé la voiture en laissant les clés sur le contact, appris que sa plus jeune avait besoin d'un appareil dentaire, oublié une réunion importante, et, pardessus le marché, sa fille aînée avait renversé du ketchup sur le sofa tout neuf. C'était vraiment le comble. Elle se mit à crier et à gronder ses filles. Ses deux filles, comme font souvent les enfants, ont commencé à répliquer et à faire allusion aux faiblesses de leur mère: «Tu te mets toujours en colère... tu réagis de façon excessive... tu n'es vraiment pas raisonnable...»

Soudain, la mère a arrêté de se défendre en plein milieu d'une phrase, et elle leur a dit: «Vous avez raison, j'ai été très difficile ces derniers temps.» Puis elle leur a demandé: «Vous ne voudriez pas me donner un peu d'amour et de tendresse? J'ai besoin d'une dose de compassion.»

Sa fille aînée répondit: «Comment veux-tu que j'éprouve de la compassion quand tu adoptes un comportement si bizarre?»

La mère répondit alors: «C'est dans ces moments-là que j'en ai le plus besoin. C'est facile de faire preuve de compassion quand je vais bien et que je me conduis correctement, mais me donner de l'amour et de la tendresse quand j'ai raté mon coup, quand j'ai fait une gaffe, ou que je vous ai laissé tomber, c'est ça la véritable compassion. Alors pouvez-vous toutes les deux essayer de comprendre que les choses sont un peu difficiles pour moi en ce moment?» Rien de plus ne fut dit ce soir-là, mais elle sentit que quelque chose avait changé en chacune d'elles. Depuis lors, elles se sont traitées mutuellement avec plus de tendresse.

L'âme a besoin de compassion, autant que le corps a besoin de nourriture. Aimer vos enfants sans compassion ne suffit pas. La compassion est une douce compréhension, c'est de l'amour et de la tendresse. Cela signifie que vous êtes en harmonie, que vous ressentez vraiment quelque chose les uns pour les autres. Cela consiste à remarquer l'expression sur le visage de l'autre qui dit: «Ce n'est vraiment pas ma journée!» Mylène, âgée de trois ans, avait fait des courses avec sa mère toute la journée, et elle en avait assez d'être assise dans la poussette, alors elle en est descendue et s'est mise à courir dans les allées. Quand sa mère l'a prise dans ses bras, elle s'est mise à crier et à se débattre si fort que toutes les têtes se tournaient pour voir ce qui se passait. Bien que sa mère ait été très embarrassée par la scène, elle a compris que le magasinage était difficile pour les petits, alors elle a réconforté Mylène d'une caresse et l'a laissée marcher à ses côtés.

Les enfants ont besoin d'une dose généreuse de compassion quand ils sont fatigués, de mauvaise humeur, ou carrément impossibles, et il en est de même pour vous. Prenez conscience qu'ils ne sont pas dans leur assiette, dites-leur également quand vous traversez des moments difficiles, et donnez libre cours à la tendresse.

Protégez tous nos enfants

En tant que parents, nous voulons protéger nos enfants contre toutes les souffrances et toutes les injustices de la vie. C'est évidemment impossible, mais ce que nous *pouvons* faire, c'est créer un environnement où les enfants sont en sécurité physiquement, émotivement et spirituellement. Et nous réussirons d'autant mieux à les protéger si nous pensons que tous les enfants du monde sont sous notre responsabilité.

Tous les enfants ont besoin de notre protection contre plusieurs formes d'excès: les critiques verbales, les injures, les châtiments physiques et la violence. Certains enfants souffrent d'un manque d'amour, et d'autres sont victimes de la pauvreté. Nous pouvons et nous devons faire quelque chose pour protéger les enfants contre la tyrannie de parents ou d'autres adultes qui, à cause de leur inaptitude ou de leur réticence à guérir leur propre souffrance personnelle, passent leur rage sur des enfants innocents.

Mettons nos énergies là où ça compte vraiment. Jean et Diane ont fait la connaissance d'Angèle quand elle avait six ans. Sa mère, célibataire, venait d'apprendre qu'elle était gravement malade, et elle était incapable de prendre soin d'Angèle. Jean et Diane ont pris Angèle et sa mère sous leur aile. Ils se sont occupés d'Angèle et ont amené sa mère chez eux, où elle est morte, avec Angèle à son chevet. Pendant dix-sept ans ils ont nourri, encouragé et soutenu Angèle. Elle les appelle ses «parents anges gardiens».

Dans les villes et les quartiers, d'un bout à l'autre de la planète, il y a des enfants qui ont besoin d'anges gardiens. Nous pouvons commencer aujourd'hui modestement à transformer la vie de ces enfants. Ensemble, nous pouvons trouver un moyen de protéger les enfants où qu'ils soient contre la faim, la maladie et la violence.

Victor a apporté une aide financière anonyme à un jeune homme en difficulté pendant toutes ses années d'étude. Philippe a servi de guide à quatre jeunes hommes; il a compris que, maintenant plus que jamais, les enfants ont besoin de s'identifier à un adulte qui s'intéresse personnellement à leur vie. En passant du temps avec eux, aussi bien à travailler qu'à jouer, Philippe leur donne de la vie un point de vue qu'ils ne pourraient avoir autrement.

Vous aussi pouvez faire une différence, ne serait-ce qu'en prenant position. Un enfant s'est il couché le ventre vide dans votre voisinage hier soir? Y en a-t-il un qui a dormi dans la rue, derrière une poubelle? Un enfant a-t-il été gifflé et ridiculisé? Un enfant a-t-il été tué? Avez-vous réagi, ou avez-vous tourné la tête? Avez-vous fait semblant de ne rien remarquer? L'eau et l'air sont-ils trop pollués pour élever des enfants sains? Y aura-t-il encore des espaces verts sur la terre quand ils seront grands?

Il y a de quoi réfléchir; c'est une lourde responsabilité, et il y a beaucoup de travail à faire. Mais les solutions, la responsabilité et le travail nous reviennent - nous avons mis ces enfants au monde et nous avons la responsabilité de prendre soin d'eux. Si nous ne le faisons pas, qui le fera? Vous rendrez le monde meilleur si vous prenez la défense d'un enfant; quand vous en protégez un seul, vous êtes un ange gardien.

Gardez une place pour eux dans votre coeur et dans vos prières

uand vous aimez un enfant, il a sa place dans votre coeur pour toujours. Vos enfants vous touchent si profondément qu'il ne se passe pas un moment sans que vous pensiez à eux, sans que vous sentiez leur présence en vous, sans que vous ayez leur image présente à l'esprit. Ils font tellement partie de votre être que, si jamais quelque chose leur arrivait, vous perdriez aussi le meilleur de vous-même. Si vous pouviez, vous contrôleriez tout et vous les surveilleriez à tous les tournants; vous voudriez les prémunir contre le malheur, mais vous savez qu'il y a des limites à ce que vous pouvez faire. Vous leur avez appris ce qu'ils ont besoin de savoir; vous avez essayé de les préparer de votre mieux.

Vous vous sentez parfois si impuissant à la pensée que vous ne pouvez rien faire de plus. Vous ne pouvez pas les enfermer, ou les cacher, alors que pouvez-vous faire d'autre que prier? Priez pour eux à tout moment, jour après jour, pour qu'ils puissent marcher dans la lumière, avec joie et paix. Demandez à Dieu de prendre soin d'eux. Dites une prière simple, du fond de votre coeur. Le lien spirituel entre vous et votre enfant est toujours présent; quand vous priez, vous êtes en contact avec les ondes spirituelles.

Qu'ils aillent chez les voisins ou qu'ils s'éloignent à des kilomètres, la prière aidera quand votre précieux enfant sera hors de votre vue, hors de votre portée.

Ne vous séparez jamais d'eux s'ils sont fâchés ou blessés, réconciliez-vous toujours. Dites-leur: «Je suis toujours avec toi, même quand nous sommes séparés; je t'aime et je pense à toi, je te garde dans mon coeur.» Et tandis que vous les gardez dans votre coeur, souvenez-vous qu'ils vous aiment aussi, qu'ils sentent votre présence, et qu'ils veulent que vous soyez heureux et en sécurité. Ils veulent ce qu'il y a de mieux pour vous, et, pendant que vous priez pour eux, ils prient probablement pour vous.